CASAMENTO HOJE

Silvia Corrêa Petroucic
André Ivan Petroucic Filho

CASAMENTO HOJE
Caminhos para entender, fortalecer
e harmonizar o relacionamento conjugal

Prefácio de
Augusto Cury

DIREÇÃO EDITORIAL:
Pe. Fábio Evaristo R. Silva, C.Ss.R.

CONSELHO EDITORIAL:
Ferdinando Mancilio, C.Ss.R.
Gilberto Paiva, C.Ss.R.
José Uilson Inácio Soares Júnior, C.Ss.R.
Marcelo da Rosa Magalhães, C.Ss.R.
Mauro Vilela, C.Ss.R.
Victor Hugo Lapenta, C.Ss.R.

COORDENAÇÃO EDITORIAL:
Ana Lúcia de Castro Leite

COPIDESQUE:
Luana Galvão

REVISÃO:
Bruna Vieira

DIAGRAMAÇÃO:
Bruno Olivoto

CAPA:
Maria Alice Andrade de Carvalho e
Beatriz Andrade de Carvalho

Dados Internacionais de Catalogação na Publicação (CIP) de acordo com ISBD

P497c	Petroucic, Silvia Corrêa
	Casamento hoje: caminhos para entender, fortalecer e harmonizar o relacionamento conjugal / Silvia Corrêa Petroucic, André Ivan Petroucic Filho. - Aparecida, SP : Editora Santuário, 2019. 124 p. ; 14cm x 21cm.
	Inclui bibliografia. ISBN: 978-85-369-0575-4 ISBN: 978-65-5527-128-7 (e-book)
	1. Cristianismo. 2. Casamento. 3. Relacionamento conjugal. I. Petroucic Filho, André Ivan Título.
2019-61	CDD 248.8425 CDU 248.151

Elaborado por Vagner Rodolfo da Silva - CRB-8/9410

Índice para catálogo sistemático:
1. Cristianismo : Casamento 248.8425
2. Cristianismo : Casamento 248.151

2ª impressão

Todos os direitos reservados à **EDITORA SANTUÁRIO** – 2023

Rua Pe. Claro Monteiro, 342 – 12570-045 – Aparecida-SP
Tel.: 12 3104-2000 – Televendas: 0800 - 016 00 04
www.editorasantuario.com.br
vendas@editorasantuario.com.br

Dedicatória

De mãos dadas de início,
de braços dados hoje,
dedicamos a nossos pais, *in memoriam*,
e a nossos filhos, noras, genro e netos,
frutos de nossa caminhada conjugal.

Gratidão

Ao padre Eli Lobato dos Santos pela indicação de nossos nomes, para guiar os encontros e estudos com os casais, e pela parceria neste trabalho.

Aos casais dos grupos terapêuticos pela confiança e por compartilharem seus importantes depoimentos de vida.

A todos os nossos mestres, representados por: Alfredo Correia Soeiro, Annie Rottenstein, Iedo Roberto Borges, José Onildo Betioli Contel, Maria Helena Cruz, Mario Lúcio Silva e Renato Shaan Bertate.

Às orientadoras espirituais Ana Maria Queiroz de Carvalho Haddad, Cinira Helena Carvalho Silva Silveira Bueno e Mirka de Oliveira Stefani Costa.

À gentileza de Adélia Prado, Mario Sabino e Ruth Manús pelas autorizações de inclusão de trechos de suas obras.

A todos os queridos amigos de décadas, que nos acompanham em nossa jornada, representados pelos casais Regina e Mario Basso;

Neide e Luiz Antônio Zamperlini e à amiga Marina Rebolho.

Ao meu poético cunhado Joracy Petroucic e ao casal amigo Louis Pascal de Geer e Neta (Cacilda de Andrade Borges Mateus) pelas coletâneas de crônicas de Mario Sabino e Ruth Manus, respectivamente.

Aos amigos, irmãos e diretores da Rede Vida de Televisão, Luiz Antônio Monteiro de Barros e João Antônio Monteiro de Barros Neto, pelo apoio aos nossos projetos.

À jornalista Gláucia Chiarelli pelo incentivo ao tema.

À Dra. em Letras, Silvia Damacena, pelo trabalho de copidesque.

Aos primeiros leitores atentos Eduardo Andrade de Carvalho, Eric Petroucic, Maria Aparecida Nogueira Pizzotti, Patrícia Helena Rodrigues de Souza, Paulo Rezende, Roberta Thomé Petroucic, Rose Riemma e Silvia Maria Penha de Aquino.

À psicóloga Luciana Boggio Haikel pela indicação de leituras.

À amiga Ligia Toledo de Andrade pela consultoria editorial.

À Adília Belotti, grande incentivadora, pelas orientações editoriais e pela sugestão do título.

A Maria Alice de Carvalho pela arte e a Beatriz Andrade de Carvalho pela diagramação da capa.

Ao doutor Augusto Cury e ao professor Ives Gandra da Silva Martins pelo apoio e incentivo.

Ao padre Fábio Evaristo pelo aconselhamento editorial.

Sentimo-nos ligados a todos com profunda gratidão.

Sumário

Prefácio – Augusto Cury – 11
Breve introdução – Ives Gandra da Silva Martins – 13
Apresentação – Padre Eli Lobato dos Santos – 15
Considerações dos autores – 19

Introdução: Casamento – a roça onde se planta o amor – 21
• Direito e avesso: a inspiração do livro – 22
• Grupo de casais – 24
• Prosperidade Bíblica – 26

PARTE I – O "EU", O "OUTRO" E O "NÓS" – 31
1. Autoconhecimento – 33
• Alinhamento ancestral – 34
• Constelação familiar – 35
• As ordens do amor – 36
• Refletindo um pouco sobre a Resiliência – 39
• Diferenças entre homem e mulher – 40
• Que tal facilitarmos? – 42

2. A família – 47
• Definindo família – 47
• Violência contra a mulher – 50

- Transferência e Tele – 53
- As expressões do amor – 54
- Oficina de linguagens do amor – 60
- A mesa e a toalha – 61

PARTE II – CASAMENTO – 67

3. As cinco fases do casamento – 69
1ª Fase: Encantamento – 70
2ª Fase: Desencanto – 73
3ª Fase: Elaboração – 75
- 1º tema: Sexo – 78
- 2º tema: A educação financeira da família – 82
- 3º tema: As crianças – 84
- 4º tema: O perdão – 86
4ª Fase: Reintegração – 94
5ª Fase: Arremate – 99

4. Os vinte e um "Cs" do casamento – 107

Considerações finais – 109
- As viagens da vida I – 109
- As viagens da vida II – 110
- Como ficar casado por 50 anos – 112

Posfácio – 117
- Vó Lia – carta de uma menina centenária – 117
- Homenagem – 119
- Uma forma poética da construção do amor – O que faz de um tango um tango – 121

Referências bibliográficas – 123

Prefácio

Você é uma mente livre ou encarcerada, flexível ou engessada? Tem capacidade de enxergar suas relações profissionais e familiares com generosidade, altruísmo e solidariedade, ou é um ser humano egocêntrico, especialista em criticar e apontar falhas dos outros? E como anda a relação que você tem com você mesmo? É uma pessoa que abraça, dá risadas de alguns erros suportáveis e lhe dá tantas oportunidades quantas necessárias ou é um especialista em se autocobrar e se autopunir?

Em muitos, países onde dou conferências e onde sou publicado, constato que são raros os seres humanos relaxados, apaixonados pela vida e pela saúde emocional. Infelizmente, são muito frequentes os seres humanos carrascos de si mesmos e implacáveis com seus íntimos! Precisamos repensar seriamente nossas relações. E é essa a proposta do livro do experiente psiquiatra André Petroucic e da notável psicóloga Silvia, dois diletos amigos.

Sempre digo que a existência é um contrato de risco, cujas cláusulas mais importantes não estão escritas. Não há céus sem tempestades nem caminhos sem acidentes. Para ter êxito social e emocional, temos de aprender uma sofisticada equação existencial: transformar lágrimas em sabedoria, crises em solenes aprendizados, erros em crescimento. Para

CASAMENTO HOJE

muitos, essa equação é incompreensível ou uma distante utopia! Por quê? Porque seu Eu não foi treinado, educado e lapidado para ser líder de si mesmo e gestor de sua própria emoção. São meninos com diplomas nas mãos, pobres com dinheiro no banco, opacos sob os holofotes da mídia.

Esse déficit de aprendizado do Eu como gestor da mente humana ocorre em destaque porque a educação mundial está doente, formando pessoas doentes para uma sociedade doente. Ela é cartesiana e racionalista, leva-nos a filtrar água, mas não a filtrar os estímulos estressantes; a operar máquinas, mas não a ser um colecionador de elogios; a ser críticos, mas não a nos colocar no lugar dos outros e perceber as lágrimas nunca choradas e as dores jamais verbalizadas daqueles que amamos.

Nossa história emocional e familiar é de extrema complexidade. É muito mais difícil construir uma emoção e também uma família inteligente e saudável do que dirigir uma empresa com milhares de funcionários ou governar uma nação com milhões de pessoas.

Se você gritar, elevar o tom de voz e pressionar seus filhos e sua parceira ou seu parceiro, você estará estimulando o biógrafo inconsciente do cérebro, o fenômeno RAM (registro automático da memória), a arquivar traumas. Se você chantagear, criticar excessivamente e for uma pessoa repetitiva, estará, além de ser uma pessoa entediante e até insuportável, desertificando a personalidade das pessoas que lhes são mais caras.

Por isso, se você deseja construir relações saudáveis, penetre no livro do André e da Silvia. Eles colocaram décadas de experiência como profissionais de saúde mental nestas páginas. Encare suas ideias como bilhete de passagem para que você possa fazer a mais importante viagem que um ser humano deve empreender, uma viagem para o universo de suas relações socioemocionais.

Augusto Cury
Psiquiatra, pesquisador e escritor
publicado em mais de 70 países

Breve introdução

Li o livro de Silvia Corrêa Petroucic e André Ivan Petroucic Filho, "Casamento hoje". A experiência dos dois autores em conduzir casais ao encontro de sua vocação matrimonial, expressa na obra que ora vem ao público, é admirável. André, médico psiquiatra, e Silvia, psicóloga, apresentam roteiro que merece reflexão, em um mundo tão conturbado, cujos valores essenciais da convivência humana e da família são desprezados, por uma ânsia de autorrealização pessoal e de gozo da vida sem limites e controle, que termina quase sempre em frustrações profundas e, às vezes, irreversíveis. O livro é um caminho para soluções seguras no casamento, que, de rigor, alicerça a verdadeira família, a qual, pela Constituição Brasileira, só pode ser entre homem e mulher (art. 226 incisos de 1 a 5), nada obstante a exegese, que merece revisão, da Suprema Corte.

A vida em conjunto, desde a juventude até a velhice, é repleta de sobressaltos, alegrias, que podem ser superadas, como bem apontam os autores.

A verdadeira felicidade na vida conjugal está em querer o bem do outro mais que o próprio bem. Quando se pensa assim, todos os obstáculos são transponíveis. Nunca se deve dizer antes do casamento: "Quero casar-me para ser feliz", mas sim "Quero casar-me para fazer a felicidade de quem amo".

Diversos aspectos que conformam a relação matrimonial são apresentados com pertinência pelos auto-

CASAMENTO HOJE

res. Lembrando, todavia, no que diz respeito ao sexo, que o planejamento familiar, com a adoção do método Billings de medição do período fértil da mulher, é um excelente estímulo para manter sempre a atração inicial do casal, visto que a continência mensal obrigatória torna o retomar das relações matrimoniais como novas viagens de núpcias, não permitindo qualquer monotonia na conjunção carnal.

Citam os autores poema de Adélia Prado sobre o casamento. Embora eu me considere um poeta provinciano, diferentemente da talentosa Adélia Prado, gostaria de terminar este breve prefácio do livro, que me causou excelente impressão, com um soneto escrito para minha esposa, a quem namoro há 64 anos e com que sou casado há 59 anos.

Para Ruth

Torna a velhice tudo mais difícil,
a inteligência morna e já sem brilho.
Outrora meu andar, próprio de um míssil,
hoje, parece trem fora do trilho.

O coração, porém, por ti querida,
não segue, sendo moço, este caminho.
Tu mantiveste aceso em minha vida
o constante calor de teu carinho.

Do Senhor a vontade eu desconheço,
o tempo que dará para nós dois.
O tempo que nos deu já não tem preço,
mas sempre espero ter tempo depois.

Sou grato a Deus o que me resta ainda
de ter-te de meu lado, calma e linda.
SP 22/01/2017 (p. 24 do livro 101 *poemas para Ruth*)

Ives Gandra da Silva Martins
Professor emérito, Doutor honoris causa,
professor e membro da Academia Brasileira de Filosofia

Apresentação

Com regular frequência, eu atendia alguns jovens casais na Cidade de Maria, em Barretos. Estavam com idade entre trinta e quarenta anos, com um pouco mais de dez anos de casados, e tinham entre um e três filhos. Tive várias conversas com cada casal: primeiro com um cônjuge, depois com o outro e, em um terceiro momento, com o casal. Com o suceder das conversas, passei a pensar que havia chegada a hora de uma conversa do casal não mais com o padre, e sim com um outro casal, mais vivido, experiente e com certa competência na área da psicologia. Tinha a impressão de que alguns aspectos da vida afetiva-sexual-relacional dos casais é que lhes estavam causando perturbações. Aspectos que eles (os casais) não sabiam identificar, e com os quais muito menos sabiam lidar. Aspectos vitais que, uma vez descuidados, não se "calam". Ao contrário, "gritam" mais alto. E, por não serem devidamente atendidos, geram tensões, atritos, ferimentos recíprocos.

Por isso, pareceu-me ter chegado a certo limite. Eu até poderia conversar com jovens casais sobre as questões de sua área afetiva-sexual-relacional, porém julguei que seria melhor que tais questões fossem abordadas por um outro casal. Foi então

CASAMENTO HOJE

que procurei o casal Silvia e André e lhes expus aquilo que se passava. Ela, com formação em psicologia, e ele, em psiquiatria, além de já serem avós, apresentavam elevadas condições para ajudar os jovens casais.

Tendo o experiente casal aceitado minha proposta, voltei a falar com os jovens casais, que também a aceitaram. Assim, a partir de março de 2013, uma vez por semana, eles passaram a se encontrar. Em 2014, outros casais passaram a integrar o grupo que se reuniu até o ano de 2015.

Cada vez mais, e por razões não muito difíceis de serem identificadas, convenço-me de que a grande crise que sofre a vida matrimonial, com suas relações conjugais e familiares, só será enfrentada com eficácia com dois "remédios". A saber: espiritualidade e acompanhamento por casais mais experientes e competentes.

A ESPIRITUALIDADE é necessária, porque ela nos faz compreender a outra pessoa, os fatos e acontecimentos mais amplamente. A pessoa tem mais de uma face. Os fatos e os acontecimentos também. Sem a luz mais iluminadora da Espiritualidade, a visão e compreensão tornam-se limitadas demais.

O ACOMPANHAMENTO é uma espécie de "manual de instruções", que orienta os jovens casais, a fim de que aprendam a lidar com a interminável série de questões que a vida matrimonial (aspectos conjugal e familiar) compreende. A pessoa com a qual se casa permanece a mesma, mas vive um dinâmico processo de mudanças. Isso é um bem. Contudo, não raro, cria atritos e ferimentos. As demandas da vida a dois (três, quatro, cinco...) vão aumentando, e, de repente, o jovem casal tem a impressão de que não vai dar conta de tudo. E, às vezes, não dá mesmo, pois querem continuar a fazer o que faziam antes e, além disso, atender às novas demandas. Isso também cria atritos e feridas.

Enfim, foi isto que procuramos fazer: dar aos referidos jovens casais um pouco de alimento para sua espiritualidade e oferecer orientações para a construção de seu casamento e de sua

APRESENTAÇÃO

família. E agora, passado um tempo, Silvia e André resolveram registrar essa experiência neste belo livro, que, com certeza, poderá ajudar outros casais em crise.

Padre Eli Lobato dos Santos
Graduado em filosofia e teologia, ordenado há 32 anos. Foi mestre dos noviços da Congregação dos Padres do Sagrado Coração de Jesus, em Barretos. Atual pároco e reitor do Santuário São Judas Tadeu, em São Paulo

Considerações dos autores

Este livro nasceu da necessidade de fazermos um registro de nossos trabalhos na tentativa de ajudar casais em momento de crise conjugal. Salientamos que o enfoque não são os problemas pessoais, como ansiedade, depressão, entre outros, mas aqueles que atingem o relacionamento. Utilizamos material didático de nossos estudos, ao longo de 50 anos de nossa vivência profissional em Psicologia e Psiquiatria; também trazemos à tona nossas vivências nos 50 anos de convivência e, ainda, nossa vivência religiosa.

Explicamos[1] melhor: quando se faz um curso de terapia, além do embasamento teórico, o aluno passa pela terapia como paciente-aprendiz. Fizemos as pós-graduações em Psicodrama e Constelações Sistêmicas juntos, com os mesmos mestres, e fomos selecionando, no decorrer dos encontros com os casais que ajudamos, os conceitos que mais tinham nos ajudado.

Do Psicodrama, inspirado e estruturado por Jacob Lévi Moreno, técnica terapêutica que surgiu da necessidade de se utilizar como material não só o conteúdo verbal do

---

[1] Organizamos a questão da pessoa gramatical da seguinte forma: quando é usada a primeira pessoa do singular – eu –, o leitor deve entender que é a Silvia apenas quem fala; quando se usa a primeira pessoa do plural – nós – o texto foi escrito a quatro mãos: Silvia e André.

CASAMENTO HOJE

paciente, mas também suas expressões não verbais e sua atuação nos relacionamentos com o outro, usamos os conceitos de Tele, Campo Tenso e Relaxado e o gráfico baseado nos trabalhos de Stuart Athins e Allan Katchet sobre desempenho x qualidade da característica.

Já a Constelação Sistêmica Familiar e Empresarial, estruturada por Bert Hellinger, trabalhou a necessidade de ver além do indivíduo ou casal, buscou saber o que aconteceu a seus familiares ascendentes e o que pode causar dores psíquicas em seus pacientes. Dessa conceituação, utilizamos as Três Ordens do Amor: Pertencimento, Hierarquia e Equilíbrio entre o Dar e Receber; além do Alinhamento Ancestral e do Perdão.

Além disso, trouxemos de nossa formação acadêmica, no Campus da USP – Ribeirão Preto, os ensinamentos de psicanálise, behaviorismo e as pesquisas de laboratórios de psicologia comparativa. Com olhar para o "que mais podemos ver", fomos acompanhar novos estudos, incluindo-os.

Na primeira parte, enfocamos algumas técnicas de autoconhecimento e de esclarecimentos sobre a maneira de expressarmos amor, além da definição de família. Na segunda parte, dividindo o casamento nas quatro principais fases: Encantamento, Desencantamento, Elaboração e Reintegração, colocamos quais as principais perguntas a serem respondidas sobre cada uma. Para finalizar, incluímos a quinta fase, o Arremate, com considerações sobre o luto e o divórcio ou anulação do casamento.

Os depoimentos dos participantes dos grupos foram inseridos nos textos em destaque com suas iniciais.

Queremos ressaltar que na ajuda espiritual é muito importante estar sempre em contato com o orientador de seu credo religioso.

Na Igreja católica, a confissão é ferramenta poderosa, mas todos os credos têm algo similar para ajudar os casais em dificuldade de convívio.

Leiam, procurem parentes, grupos de ajuda, terapeutas, estabeleçam diálogo entre vocês. Não fiquem sozinhos.

Este é um livro sobre considerações e reflexões, baseado em vivências e evidências conjugais.

Introdução
Casamento – a roça onde se planta o amor

Era julho de 1969, semana emblemática em que o homem pisava a lua. Lembro-me de minha mãe assistindo à televisão e insistindo para que eu visse "um pequeno passo para um homem e um grande passo para a humanidade", profetizava Neil Armstrong. Nem ele, nem ninguém, imaginavam qual seria o tamanho do marco para todas as transformações que ocorreriam no mundo ocidental, principalmente nas ciências, artes, tecnologia e com a globalização.

Para mim, aquilo tudo era coisa de estrelas, distante...

Enquanto o mundo olhava para o céu, meu marido e eu, também na mesma inocência, iniciávamos passos de nossa viagem astral interior. Agora tínhamos que zelar por este triângulo: nossas duas pessoas e o terceiro elemento, nosso casamento.

Em uma semana semelhante, agora em julho de 2015, chegou pela mídia a notícia da grandeza da viagem da espaçonave americana não tripulada, *New Horizons*, que levou 9,5 anos para chegar a 12,5 mil quilômetros da superfície de Plutão, na periferia do Sistema Solar, e, de lá, enviar imagens de medição e fotografias. Chegou também a nova mesa da família: catorze lugares. Éramos 4 filhos... Desdobramentos daquela semana de julho de 1969.

CASAMENTO HOJE

Em meio a tantas recordações, costuradas com os fios do dia a dia, nosso casamento voltou a ser tema em 2015, agora refletindo sobre como lidamos com ele, como o mundo tem lidado com o tema "casamento", na tentativa de lançar algumas luzes a nós, a nossos filhos e casais a quem nos propusemos ajudar neste percurso nem sempre fácil.

> "O melhor de tudo foi termos podido sair de nosso mundinho e vermos, de modo diferente, como pode ser conduzido um relacionamento a dois e em família."
>
> Depoimento F.D.

Direito e avesso: a inspiração do livro

Ao escrever este livro, em muitos momentos, usamos referências ao "campo" como metáfora da construção do casamento. Roça é uma lida muito próxima a nós, barretenses. Escolhemos essa imagem como inspiração, pois vemos em seus processos uma comparação plausível com as quatro fases do casamento tal qual a diversidade de uma colheita. Compara-se muito o casamento ao cultivo de um jardim e suas rosas, mas a experiência tem nos mostrado que essa é uma ideia romântica e, de certa maneira, limitada. Já a roça é mais ampla, seus frutos são mais diversificados, por isso nutrem mais ao final, na colheita.

É tradição, nos sítios e nas fazendas da região, as festas de junho para comemorar a colheita. Não é sem motivo que uma das maiores festas seja a de Santo Antônio, o santo casamenteiro, com todo o folclore e todas as superstições que a envolvem, bem como as alianças que a acompanham.

Nas roças, ou melhor, no campo, é comum que as casas tenham, a sua volta, uma horta. Nela, há sempre a possibilidade de deixar um bom pedaço dos canteiros para plantas e flores específicas de jardim: isso garante alimento para o corpo e para a alma.

A imagem da roça, da terra, leva-nos de volta a um mundo perdido; o mundo do contato com as origens que as metrópoles e as cidades industriais nos fizeram perder, pois hoje somos um contingente imenso de pessoas vivendo nelas. Pois bem, unir roça e casamento

INTRODUÇÃO

é uma das ideias deste livro. Mas calma! Não se trata de um casamento à moda junina, mas sim de aproximar, ou melhor, comparar as fases do casamento com as fases de uma colheita, na roça. Além disso, pretendemos agregar as vivências pessoais, isto é, os estudos a que nos dedicamos ao longo de mais de cinquenta anos; também as reflexões e o aprendizado com os casais que temos acompanhado e com aqueles com quem temos dividido os estudos bíblicos.

Enfim, são tantos traçados e pontos que julgamos pertinente incluir. A título de ilustração, o conto a seguir, de autor desconhecido:

O Bordado

"Quando eu era pequeno, minha mãe costurava muito. Eu sentava perto dela e perguntava o que estava fazendo. Ela respondia que estava bordando.

Eu observava seu trabalho de uma posição mais baixa que ela e sempre perguntava, curioso para saber o que ia sendo formado, pois, de onde eu estava, o que ela fazia parecia muito confuso.

Ela sorria, olhava para baixo e gentilmente dizia: 'Filho, sai um pouco para brincar e, quando terminar meu bordado, chamo-te e sento-te ao meu colo, então poderás ver o bordado desde a minha posição'.

Perguntava-me por que ela usava alguns fios de cores escuras e por que, de onde eu estava, pareciam tão desordenados. Minutos mais tarde, escutava-a chamando-me: 'Filho, vem, senta-te em meu colo'. Era o que eu fazia de imediato.

Surpreendia-me e emocionava-me ao ver uma linda flor ou um belo entardecer no bordado. Não podia crer. Lá de baixo parecia tão confuso. Então minha mãe me dizia: 'Filho, debaixo para cima vias tudo confuso e desordenado, porém não te ocorria que havia um plano em cima. Havia um desenho, eu só o estava seguindo. Agora, olhando-o da minha posição, sabes o que eu estava fazendo'.

CASAMENTO HOJE

Aí eu parei e pensei...
Muitas vezes, na minha vida, olhei para o céu, pergun-
tando o que há com a minha vida... E alguém parece
responder que a está bordando. Mas está tudo tão con-
fuso e em desordem.... Os fios parecem tão escuros...
Por que não são mais brilhantes?
E o Pai parece dizer-me: 'Meu filho, ocupa-te de
teu trabalho, e Eu farei o meu. Um dia, trago-te ao
céu e então, sentado em meu colo, verás o plano
desde a minha posição'".

Grupo de casais

Frequentávamos o Grupo de Estudos Bíblicos, no Seminário da Congregação dos Padres do Sagrado Coração de Jesus – Dehonianos, sob coordenação do padre Eli Lobato dos Santos, quando veio por parte dele o convite para que atendêssemos os casais que ele orientava em confissão.

Iniciamos com quatro casais; o mesmo formato, usado na época, manteve-se enquanto acompanhamos aqueles e outros casais que foram incluídos: reuniões semanais de grupo, de março a novembro, e uma entrevista individual inicial no consultório.

As reuniões de grupo foram realizadas no seminário, na Cidade de Maria, em um condomínio distante seis quilômetros de Barretos – SP, com oito congregações religiosas de noviças e seminaristas. Mantivemos o local por ser apropriado à meditação, por ser onde eles se confessavam e por ter um pequeno trajeto, que ia desaquecendo-os das tribulações do dia a dia e acalmando a mente.

"A pedido de meu esposo, fui conversar com o padre Eli. Uma surpresa positiva, pois me senti muito acolhida. E esse acolhimento fraterno e amoroso encontrei, também, no grupo. Durante todo o período de nossas reuniões, esse sentimento ficou preservado. E até hoje sinto a emoção do carinho, da amizade, da compreensão discreta e respeitosa."

Depoimento de P.H.R.S.

INTRODUÇÃO

O ano de 2013 foi emblemático para a Igreja. No dia 13 de março, Jorge Mario Bergoglio tornou-se o papa Francisco. Fortalecer a Fé, a Esperança e o Amor sempre é o maior objetivo que rege as comunidades, tanto religiosas como leigas da Igreja católica. A formação de vínculos entre os participantes favorece enormemente esse exercício preconizado em 1 Coríntios 13,13[1]. Isso tudo ainda foi mais fortalecido pelo enfoque franciscano da simplicidade e da linguagem clara, sincronizada e próxima dos fiéis.

Passados dois anos, fomos despertados por uma reportagem da revista Veja de 1º de maio de 2015, cujo título era "Em busca da essência", a qual contava sobre a reunião da CNBB de 16 de abril, que sugeriu, entre outras mudanças nas paróquias, a formação de pequenas comunidades, uma delas a de casais.

Naquela época, éramos sete casais e podíamos dizer: "Somos uma pequena comunidade". Reuníamo-nos para várias atividades – ora todos, ora parte –, para missas, momentos culinários, convívio dos filhos, celebração de aniversários e apoio mútuo. Hoje, usamos os meios digitais para melhorar a comunicação, torná-la mais rápida e cotidiana, e continuamos a nos encontrar sempre que possível.

Foram aproximadamente cem reuniões em três anos de trabalho, e fizemos uma reunião para leitura dos depoimentos de todos os participantes do grupo.

> "Desde a primeira reunião, nós já saímos fascinados. As trocas de experiências entre os casais do grupo, com a orientação dos doutores, abriram-nos para novas expectativas: como cônjuges, como pessoas, como cristãos e por aí vai. Eternamente gratos!"
>
> Depoimento casal A.J.S. e R.A.O.

---

[1] "Atualmente, permanecem estas três: a fé, a esperança, o amor. Mas a maior delas é o amor."

Prosperidade Bíblica

Definida como constante desenvolvimento e progresso, a prosperidade manifesta-se nas cinco áreas de nossas expressões: espiritual, familiar, profissional (estudo e atividade laboral), social e saúde (incluindo lazer e atividade física).

"Prosperidade Bíblica vem de Deus, não é preciso tirar nada de ninguém. A cada casa Deus proverá o que necessita" (Mirca S. Costa, grupo de oração).

A prosperidade nasce na gratidão e é sustentada pelo perdão. Enriquece-nos o olhar grato por tudo que somos, pelo que nos rodeia, incluindo nossos antepassados e tudo que construíram, suas esperanças, seus projetos e suas lidas.

O olhar benevolente do perdão é inclusivo; se perdoamos não segregamos e isso serena nossa alma. Uma atenção contínua a esses requisitos é o que nos leva à prosperidade.

Em nossa missão de conduzir o grupo de casais para saírem da situação de conflito, estagnante para o desenvolvimento individual e da família, coube ao Pe. Eli Lobato as missas realizadas na capela do seminário, fomentando a fidelidade à Palavra, a assiduidade ao culto, a importância da confissão, da comunhão, do louvor e da adoração.

Conosco ficou a análise dos sentimentos e das emoções. Inicialmente, todos passaram por entrevistas individuais em consultório, e o atendimento em grupo só poderia ser feito com o casal.

Utilizamos relatos pessoais, dinâmicas de grupo, leituras de textos e livros, de material produzido no mundo da psicologia, sociologia, antropologia e neurociências. Pode-se dizer que, além de terapêutico, os encontros ensinaram muito. Ao final de cada reunião, rezávamos o Pai-nosso de mãos dadas.

> "Porque vós sois meu apoio, exulto de alegria, à sombra de vossas asas minha alma está unida a vós, sustenta-me a vossa destra."
>
> (Salmo 62,8-9)

INTRODUÇÃO

"O fato de os casais estarem reunidos com o objetivo de fortalecer a união, compartilhando suas experiências, é fantástico. Receber o apoio e a compreensão por parte dos amigos casais presentes é muito válido e gratificante. O fortalecimento maior entre o casal e as pessoas deve estar baseado, obrigatoriamente, na presença de Deus, em que deve haver a compreensão e o perdão."

Depoimento J.P.T.A.

Parte I

O "eu", o "outro" e o "nós"

Parte I

"O "eu", o "outro"
e o "nós"

Na primeira parte do livro, enfocaremos o autoconhecimento, a começar pelo alinhamento ancestral. Por meio das técnicas de Bert Hellinger, desenvolvidas na segunda metade do século XX, temos ferramentas para estudar nossos ancestrais e perceber se os atos deles podem estar influenciando hoje nosso caminhar. Dele também vamos ver as Ordens do Amor: Pertencimento, Hierarquia e Equilíbrio (entre o Dar e o Receber). Além do conceito de perdão abordado na terceira fase do casamento.

De Gary Chapman vamos aprender nossas Expressões do Amor: Palavras de Afirmação, Tempo de Qualidade, Atos de Serviço, Toque Físico e Presentes.

De Jacob Levi Moreno, criador da técnica terapêutica do psicodrama e pioneiro da psicoterapia em grupo, usamos o conceito de Tele, definido a partir do conceito de Transferência desenvolvido por Freud. No conceito de Tele, Moreno ressalta a presença do "outro"; no caso do casamento, do parceiro.

As diferenças entre homem e mulher, buscadas na antropologia e nos dados de neuroanatomia, muito nos auxiliam na moderna postura de compartilhar tarefas, que não é mágica nem instantânea e tem gerado muitas inseguranças. Não podemos desprezar tendências ancestrais do ser humano, visto que a civilização corresponde a uma pequena porção da existência humana. Embora dados sociobiológicos indiquem que estejamos passando recentemente por

CASAMENTO HOJE

transformações, ainda que hoje mais fluidas, carregamos arquétipos moldados na preservação da espécie. Enfim, a esperança é que quanto mais alguém se conhece, mais terá segurança para entregar-se à relação, que é base mais sólida para a sustentabilidade daquilo que denominamos como "amor".

Qual a roça onde se planta o amor? Com certeza no terreno fértil da entrega, no qual é necessário o autoconhecimento para cada parceiro saber o limite um do outro e, desse modo, crescerem juntos formando uma família.

Ainda é importante ressaltar que nossa experiência com casais aponta uma contraindicação à Terapia de Casais: quando um dos parceiros estiver muito comprometido com conflitos de ordem pessoal, deverá antes procurar ajuda individual, pois estará centrado em suas angústias, seus medos e não conseguirá absorver as orientações para uma vida a dois.

1
Autoconhecimento

"Conhece-te a ti mesmo"
Pórtico do Templo de Delfos (Grécia Antiga)

Autoestima elevada é a base para nos manter equilibrados quando fatores externos, como perda de emprego, luto, término de relacionamentos e críticas, atingem-nos. Ela está baseada no autoconhecimento que temos sobre os dois fatores que regem nossos comportamentos: emoções e pensamentos.

O autoconhecimento, segundo a psicologia, significa o conhecimento de um indivíduo sobre si mesmo. Nesse sentido, observa-se que a maior dificuldade está em percebermos, com clareza, as emoções que temos diante dos diversos acontecimentos da vida: tanto as emoções positivas quanto as negativas.

Algumas características são notadas em um indivíduo, cuja autoestima está baixa: sente necessidade exagerada de agradar, de ser apreciado; não aceita críticas; tem sempre que estar perfeito (leia o conceito japonês de Kintsugi, que expomos mais adiante).

Atualmente, com o avanço tecnológico, cada vez mais, pode-se comprovar qual parte do cérebro está funcionando mais. Quando o córtex pré-frontal – onde está nosso raciocínio lógico – está mais ativado, o sistema límbico – onde estão nossas emoções – está menos ativo. E vice-versa. Nossas reações e nossos comportamen-

CASAMENTO HOJE

tos estarão mais harmoniosos conforme as duas partes do cérebro estiverem em equilíbrio, mantendo-se mais estáveis.

Nessa busca de aprendermos mais sobre nossos sentimentos e emoções, vamos encontrar ajuda em várias áreas: filosofia, psicologia, psiquiatria, leituras especializadas, oficinas terapêuticas, meditação, acupuntura, religião, terapias holísticas, literatura, entre outras. Vamos levá-los a refletir sobre o legado de gerações passadas em sua vida, suas expressões do amor, a identificação de seus defeitos e suas qualidades, a profundeza do perdão das mágoas, bem como detectar respostas para as grandes perguntas de cada fase da vida a dois, entre outros questionamentos.

Kintsugi

Você se sente quebrado? Lembre-se disso: no Japão, existe a técnica do Kintsugi, que consiste em colar os pratos quebrados com esmalte dourado. Desse modo, o objeto quebrado torna-se único e começa uma vida nova. Os defeitos são uma parte inseparável da vida do objeto e eles precisam ser aceitos, e não escondidos. Nossos defeitos são o que nos converte no que realmente somos. Não existem pessoas perfeitas. Todos têm sua própria história, única e maravilhosa!

Alinhamento ancestral

O trabalho terapêutico com Constelações Sistêmicas Familiares inicia-se com o preenchimento da árvore genealógica dos dois parceiros até a terceira geração ascendente (pais, avós, bisavós), pois essas pessoas influenciam diretamente nossas vivências, à medida que cometeram ou foram acometidos por destinos pesados.

PARTE I

Árvore genealógica

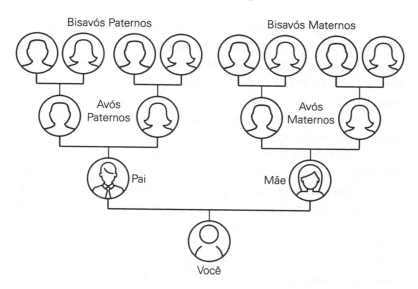

Constelação familiar

Neste trabalho, os fatos são muito importantes. A estrutura da personalidade dos membros da família não é.

O trabalho a ser desenvolvido baseia-se em fatos graves que podem ter ocorrido com os membros de sua família e que podem estar influenciando suas vivências atuais. São fatos que tendem a afetar a vida de gerações posteriores. Portanto é fundamental que as respostas sejam verdadeiras.

Os acontecimentos considerados graves podem ser: morte precoce (abortos, suicídios ou tentativas), doenças de qualquer natureza, doenças incuráveis; crimes de qualquer natureza, incluindo calúnias, desonras, trapaças, brigas por herança, desagravos morais; acontecimentos ou destinos pesados, tais como imigrantes, crianças ilegítimas, abandonadas, adoções, banição de membro da família por comportamento indecoroso ou desonroso e relacionamentos prévios, no caso de relacionamentos anteriores importantes dos pais (cônjuges, noivos, primeiro amor).

35

CASAMENTO HOJE

As ordens do amor

Bert Hellinger contribuiu para a compreensão dos fatores que regem nossa convivência com a família que constituímos e com nossa família de origem, considerando, esta última, nossos pais, avós e bisavós, mesmo que falecidos. A isso tudo o autor nomeou como "As ordens do amor".

São três as ordens sistematizadas por ele: pertencimento, hierarquia e o equilíbrio entre o dar e o receber. Ele considera que qualquer interferência negativa, nessas ordens, causará um emaranhamento entre os membros da geração em que o fato aconteceu. Assim, haverá uma tendência para a situação se repetir em gerações futuras, não para causar dor, mas para conseguir uma resposta melhor e, consequentemente, o amor fluir na família. Por exemplo, se alguém, em uma geração passada, foi abandonado, isolado da família, colocado em um sanatório ou presídio, o que era comum na época, alguém na geração atual pode se sentir em uma situação de abandono, até provocar uma situação para que as pessoas o abandonem. A seguir, falaremos um pouco sobre cada uma delas.

A primeira ordem do amor é a do Pertencimento: todas as pessoas da família têm de ser vistas, reconhecidas e não podem ser esquecidas. Qualquer tipo de exclusão, por qualquer motivo que seja, causa um desequilíbrio. Podemos citar, como exemplo, alguém que teve alguma doença séria e foi abandonado em hospitais ou sanatórios; prisioneiros que não recebem visitas; abortos ocultos; imigrantes esquecidos; pessoas abandonadas e/ou excluídas por orientações sexuais ou pelo uso de substâncias químicas etc.

A segunda ordem do amor é a da Hierarquia. Nessa ordem, a pergunta "quem chegou primeiro?" é determinante. Tem prevalência quem antecede. Desse modo, por exemplo, na família, o casal tem autoridade sobre os filhos, o filho mais velho tem sobre o segundo, e assim sucessivamente até o caçula. No caso de um segundo casamento, tem de ser reconhecido pela segunda família, tanto cônjuge como filhos desse segundo casamento, que os filhos do primeiro casamento têm primazia na hierarquia.

PARTE I

> "De tudo o que aprendi no grupo, a grande descoberta foi a de que eu preciso gostar de mim primeiro e de me pôr em primeiro lugar antes de tudo, pois vivi muito tempo para as pessoas e esqueci de mim. Cheguei ao grupo com a intenção de melhorar o relacionamento com meu esposo, pois não tínhamos muito diálogo (e isso até hoje está em andamento), mas aprendi várias coisas ao longo de nossa convivência que hoje me ajudam a seguir em frente e a me policiar quando acho que estou passando dos limites, principalmente com o meu filho."
>
> Depoimento L.H.T.A.D.

A terceira ordem do amor é o Equilíbrio entre Dar e Receber: faço a você algo bom, você retribui com algo também bom e, se possível, um pouco melhor. Se faço algo ruim, você deve retribuir com algo um pouco menos ruim para manter o equilíbrio das trocas. Se você retribui com algo muito ruim, pode destruir a relação. Esse tênue equilíbrio é que está faltando nos relacionamentos atuais. Por exemplo, se o esposo faz uma gentileza para a esposa, trazendo flores, ela deve retribuir com elogios e também fazer algo que sabe que ele gosta, assim, sucessivamente, vão criando um ambiente harmonioso. Porém, se um irmão dá um tapa em outro, não deve ser incentivado a dar um soco em retribuição, mas, por exemplo, a deixar de fazer algo com ele de que ele goste, como jogar ou brincar.

A única exceção a essa regra é em relação aos pais e filhos, mestres e alunos. O fato de os pais terem dado a vida a um ser humano é impagável. Isso só poderá ser retribuído um pouco quando também uma nova vida (o neto) for gerada. Em segundo lugar, o que se recebe dos mestres também deve ser transmitido a outros para equilibrar, mas nada se compara com a relação pai e filho. O erro que pais modernos cometem, com a frase "Vou dar a meu filho o que não recebi", tem duas implicações: a) os pais estão focados em coisas materiais – comida, casa, estudos, etc.; b) consequentemente, não reconhecem e não transmitem as coisas imateriais, como carinho, amor, tempo de qualidade, atenção que receberam.

O filho já nasce devendo a vida para os pais. Diante disso, se ganhar demais, depois vai ficar mais devedor; e quem deve é fraco. Por isso, ti-

CASAMENTO HOJE

ra-se a força do filho. Nesse momento, muitas vezes, escutamos a frase pronunciada sem pena: "Fulano(a) é mimado(a)". Mesmo que alguém tenha sido deixado na maternidade por seus pais, deve lembrar-se de que a vida é impagável; ao contrário, se foi criado por pais muito protetores, que lhe dão bens materiais ou outras benesses desproporcionais a seu pouco esforço, é natural que fique cada dia mais fraco. É comum vermos isso nos filhos que destroem um carro de luxo em um acidente e ganham outro no mês seguinte, às vezes até melhor.[1]

Um exemplo real sobre a ordem do Dar e Receber que aconteceu, enquanto escrevia este capítulo do livro. Eram 21h quando o telefone tocou. Nossa nora começou a relatar o banho de nosso neto de 3 anos de idade, que brincou de mexer na água com seus baldinhos no chuveiro. A mãe, ao indagar o que ele fazia, recebeu a seguinte resposta: "Fazendo comida para a vovó que sempre traz comida gostosa". Acontece que, na semana anterior, nossa nora esteve muito ocupada estudando para provas bimestrais da faculdade e, para ajudá-la, o almoço saía pronto todos os dias de minha casa. E nós sempre achamos que os pequenos não prestam atenção quando a rotina é quebrada. O fato gerou nele uma genuína, já que ninguém havia tocado no assunto, vontade de retribuir.

Sugeri a ela, já que estávamos na Semana Santa, que fizesse com ele um bolo de chocolate de Páscoa, e que, ao trazê-lo para a casa dos avós, ele ajudasse a carregá-lo. Com isso, além de concretizar seu anseio de retribuir o bem com outro bem maior, já que o bolo de chocolate dela é muito apreciado por todos, ela faria um treino de como controlar a ansiedade com ele.

Tem sido muito recomendado indicar os processos e o tempo de espera para as coisas acontecerem para as crianças. Tudo hoje é muito instantâneo, com isso se perdeu a noção de espera.

Quando a colheita do milho ocorria apenas uma vez por ano, no meio do verão, as famílias de sitiantes e os visitantes da cidade reuniam-se, logo ao amanhecer, para colher o milho, descascá-lo, ralá-lo e fazer todo o processo da pamonha e do bolo de milho;

---

[1] Pode-se encontrar mais sobre esse tema no livro *Para que o Amor dê Certo*, de Bert Hellinger.

PARTE I

as crianças ora ajudavam, ora corriam em volta observando. No fim da tarde, lá pelas 16h, estavam todos em volta da mesa comendo. Hoje, temos milho o ano todo, não precisamos esperar o verão e encontramos pamonha e bolo de milho prontos em feiras, supermercados e padarias. Fazer pamonha é pedir muito às famílias atuais, temos de admitir que muita coisa não retrocede, mas um bolo em uma tarde ociosa cai bem.

Muito se fala sobre o diálogo na família, mas, às vezes, esquecemos os pequenos. O diálogo nasce na escuta, e o exemplo anterior, de nosso neto, mostra-nos a sutileza que esse "ouvir" deve ter no cotidiano. A hora das refeições, a volta da escola ou do trabalho são bons momentos em que o diálogo pode acontecer. Precisamos sempre estar atentos e entregues, pois, caso contrário, arriscamos jogar fora o bebê com a água do banho.

Refletindo um pouco sobre a Resiliência

Resiliência em psicologia é a capacidade de o indivíduo lidar com problemas, adaptar-se a mudanças, superar obstáculos ou resistir à pressão de situações adversas, sem entrar em surto psicológico, emocional ou físico, por encontrar soluções estratégicas para enfrentar e superar as adversidades.

Dr. Augusto Cury elenca seis itens que explicam essa questão em seu programa de desenvolvimento da inteligência, o *Freemind* (www.institutoaugustocury.com.br).

"Resiliência é:

1. Suportar com dignidade os acidentes da vida.

2. Enfrentar contrariedades e manter a integridade.

3. Ter plena consciência de que a vida é complexa e, como tal, possui fatos imprevisíveis e inevitáveis.

4. Desenvolver flexibilidade diante das adversidades.

5. Não culpar os outros pelas derrotas, mas usá-las para expandir a maturidade.

6. Transformar o caos em oportunidade criativa e crescer diante da dor."

CASAMENTO HOJE

Na educação atual de nossas crianças, é preciso incentivar os filhos a lutarem por aquilo que desejam. A premissa "Vou dar a meus filhos o que nunca tive", como dissemos anteriormente, acaba por tirar deles o sentido de lutarem pelo que almejam. Criamos filhos fracos. Os pais não imaginam que se estão bem-sucedidos muito desse sucesso deve-se, principalmente, porque não tiveram tudo e aprenderam a lutar para conquistar o que desejavam. Como não fazem isso com os filhos, acabam criando pessoas pouco resilientes.

Outra situação que ocorre é a do chamado Reforço Contínuo, aquela em que se gratifica alguém todas as vezes que um comportamento adequado aparece. Por exemplo: em experimentos de laboratório quando um ratinho na gaiola aperta uma alavanca, ele ganha uma gota d'água, ou seja, é recompensado por ter feito aquilo que lhe era esperado. Acontece que a vida não é baseada nessa premissa, mas sim na do Reforço Intermitente: ora você é gratificado, ora não, por diversos motivos. E isso vai criando maior resiliência nas pessoas.

Podemos até arriscar dizer que a diminuição da resiliência pode ser um dos fatores do aumento crescente de suicídio de jovens no mundo ocidental, ou mesmo do uso abusivo de substâncias tóxicas, pois muitos não foram preparados para lutar pelo que querem.

Diferenças entre homem e mulher

Estudar as diferenças entre homem e mulher, nos dias de hoje, tem enorme importância, pois nunca os papéis foram tão questionados. Não é nem pela questão, tão em moda, de determinação sexual, e sim pela divisão de papéis dentro do casamento; esses estudos de Psicologia Comparada estão cada vez mais nos trazendo luzes. Mas vamos falar de nosso cotidiano.

Demoramos, segundo as últimas descobertas, uns 300 mil anos em um processo de evolução do *homo sapiens* passando por sucessivas seleções naturais, em que nossas diferenças e a complementação de papéis foram muito úteis.

PARTE I

Porém, nos últimos 200 anos, começamos a mudar a divisão de nossas tarefas, a que nem sempre estamos adequados. A mulher tem conseguido se adaptar melhor, teve auxílio na força física com o desenvolvimento mecânico e digital. O homem, para colaborar dentro de casa, precisa ainda de ajuda. Por exemplo, é difícil para ele distinguir o choro de manha, o de sono e o de dor de um filho. Às vezes, estamos pedindo tarefas para o outro sem que ele esteja física e psicologicamente preparado para tanto.

Quando o homem e a mulher passam o dia trabalhando e chegam a casa juntos, não chegam iguais: a mulher, durante todo o dia, foi resolvendo seus problemas, pequenos ou grandes. Por exemplo, se o filho teve febre na escola, ela já providenciou ajuda: ligou para mãe, para melhor amiga, falou com a colega do escritório, com a moça do cafezinho, marcou consulta com o médico; enquanto o marido, no máximo, pediu ajuda técnica para algum problema de seu relatório ou, se for um pedreiro, como melhorar a construção de uma parede.

Vocês já viram um homem ligar para outro para dizer que está com dor de cabeça ou de estômago, ou mesmo que seu filho não está indo bem na escola? Se a esposa não propicia esse espaço para o marido, ele vai viver a solidão dentro do casamento. A amiga de um homem é sua esposa. Ela é sua confidente, nem mesmo a mãe dele consegue ser, pois qualquer pessoa tende a poupar o sofrimento aos pais, até mesmo os homens fogem disso.

Levando em conta o exposto acima, é preciso perceber que a acolhida do lar deve ser pensada. O homem precisa de um tempo para ambientar-se, pois, para ele, a troca do ambiente do trabalho pelo ambiente doméstico não ocorre de modo instantâneo. Por isso, o ideal é que a mulher, muito menos afetada pela troca, entenda essa necessidade e dê um tempo para que as coisas se ajeitem. Depois disso, é possível conversar sobre tudo aquilo que aconteceu durante o dia, então, o casal poderá trocar ideias e tomar decisões em conjunto sobre os problemas domésticos.

É uma atitude sábia ter calma e esperar que ele também faça colocações. Desse modo, a conversa certamente será muito mais produtiva e, consequentemente, a convivência ficará muito melhor.

CASAMENTO HOJE

Tanto o homem quanto a mulher precisam de lazer e de ter seu momento individual. Por isso, é importante que ambos tenham momentos com os amigos, ainda que de maneiras diferentes. Vejamos. Para os homens, futebol ou pescaria, corrida de carros etc. são coisas muito atrativas, que os permitem relaxar. Nesses momentos, é comum que eles não conversem nada pessoal. A dinâmica funciona como uma retomada mítica, uma representação dos tempos em que se uniam para caçar ou guerrear; uns precisavam dos outros como guarda-costas, senão viravam comida de fera.

O professor Mário Lúcio[2] afirma que, para que um homem se sinta feliz, ele deve estar um pouco com seus companheiros. E, para que a mulher se sinta bem e feliz, o ideal é que o homem assuma o cuidado com os filhos por um tempo, a fim de que ela, sozinha, possa desfrutar da companhia da mãe ou das amigas (pois, sim, elas precisam e têm amigas e confidentes!) ou simplesmente possa passear em shoppings, museus, livrarias, cinemas...

Que tal facilitarmos?

A seguir, expomos as principais diferenças entre homens e mulheres, em tópicos, a fim de facilitar a leitura e a consulta sempre que necessário.

1. Intuição feminina: elas estão atentas a pequenas mudanças de comportamento, alterações mínimas. Como antes passavam o tempo todo com os filhos, diferentemente dos homens que saíam para caçar, elas percebem os sinais não verbais com mais facilidade.

2. O cromossomo X é responsável por sete milhões de células em cone, que processam as cores. Como a mulher tem dois cromossomos X, enxerga uma variedade maior de cores que os homens. Por isso, para o homem, entre azul celeste ou azul turquesa praticamente não tem diferença.

---

[2] Educador, professor de física e yoga. Também é terapeuta ayurvédico e terapeuta em Constelações Familiares. Criou o método "Alinhamento Ancestral", que, unido à abordagem das Constelações Familiares de Bert Hellinger, deu origem ao livro homônimo ao método.

PARTE I

3. A mulher enxerga melhor lateralmente (campo periférico), porque antes, para proteger melhor o filho, precisava vigiar o ambiente todo, como perceber a possível aproximação de um predador. O homem, que precisava focalizar a caça, desenvolveu a visão em forma de túnel, tendendo a enxergar mais longe e a calcular melhor as distâncias (visão de profundidade).

4. O homem se estimula mais pela visão (por isso as mulheres se arrumam tanto?), e a mulher, pela audição (gosta de ser cortejada). Em geral, homem valoriza pornografia e é mais interessado no ato sexual em si (a área sexual no cérebro dele é dez vezes maior que no dela); enquanto a mulher prefere o romance, as promessas de amor, de continuidade da relação para sua proteção e da prole, ainda que afirme não querer ou não precisar disso.

5. A mulher tem habilidades de atenção dirigidas a certos estímulos sonoros, principalmente sons agudos. Ouve o choro da criança à noite, enquanto o pai continua dormindo. Escutando-os melhor, protege o filho dos predadores, isola, seleciona os sons e toma decisões a respeito de cada um deles. Por isso, a mulher consegue prestar atenção na conversa que está mantendo e, ao mesmo tempo, ouve o que está sendo falado a sua volta.

6. As mulheres percebem diferenças no tom e volume da voz, notando na criança o choro de fome, que é diferente do choro de manha e que, por sua vez, difere também do choro de dor. Sendo assim, ela percebe facilmente mudanças de humor pela entonação da voz. Muitas vezes, quando diz: "Não fale comigo desse jeito", o homem não faz a menor ideia do que ela quer dizer, pois não percebe que mudou sua tonalidade ao falar.

7. A mulher fala para organizar as ideias (área da fala no cérebro feminino é quatro vezes maior do que a do homem); enquanto o homem organiza os pensamentos antes de falar. A mulher pensa em voz alta como forma de compartilhar e agradar. O homem acredita que ela fala demais. Como consequência, em uma discussão, ela vai ter mais argumentos.

CASAMENTO HOJE

8. O homem, com os amigos, tende a falar pouco e a se movimentar menos fisicamente. Se mulheres em reunião estão quietas, é sinal de problema sério.

9. O homem evolui bem em três áreas: guerrear, proteger e resolver problemas. Quando vai resolver um problema, fica em silêncio pensando e só fala quando encontra resposta. Não gosta de ser interrompido porque só faz uma coisa de cada vez.

10. Geralmente, quando uma mulher fica falando, faz isso para organizar as ideias e não gosta que fiquem dando palpites. Ela precisa apenas que a escutem. Se a mulher conversa muito, é sinal que gosta de você.

11. Para comunicar-se bem com um homem, é importante ser objetivo e dar-lhe uma coisa de cada vez para pensar e fazer.

12. A pele da mulher é mais fina e mais sensível ao toque. As mulheres se tocam de quatro a seis vezes mais que os homens durante uma conversa. Portanto, para ganhar pontos com uma mulher, toque-a, mas não a agarre!

13. A maioria dos homens prefere sentar de costas para a parede em um restaurante. Sente-se confortável e seguro, sente que está controlando o ambiente. Em casa, escolhe o lado da cama mais próximo da porta do quarto, pois seu papel é proteger de possíveis invasores.

14. O cérebro feminino tem mais conexões no corpo caloso (que liga os dois hemisférios cerebrais), provavelmente, por influência do hormônio feminino. Então, para elas é mais fácil fazer várias coisas ao mesmo tempo e ter uma fluência verbal maior. Já o cérebro masculino tende a fazer uma coisa de cada vez. É comum, por exemplo, que um homem não dirija atenção a outra coisa enquanto lê um jornal.

15. Como a mulher usa os dois lados do cérebro ao mesmo tempo, geralmente tem dificuldade de apontar qual a mão esquerda e qual a direita.

16. Os homens escolhem cartões com mensagens mais longas, pois assim sobrará menos espaço para escrever.

17. Quando um homem vai ao banheiro, é para fazer algo específico. Não convida ninguém. As mulheres usam o banheiro

PARTE I

como espaço para reunião social e sala de terapia. Entram como estranhas e saem como amigas.

18. Se uma mulher está dirigindo e se perde, prefere parar e perguntar. Para os homens isso é sinal de fraqueza; ele roda em círculos resmungando.

19. Quando o homem dirige, toma decisões que parecem (e, às vezes, são mesmo!) perigosas para a mulher, por isso ela fica criticando e dando palpites.

20. A máscara de impassibilidade que o homem apresenta, enquanto ouve, faz com que se sinta dono da situação. Tem sentimentos, mas não expressa. É o guerreiro.

21. Grande parte dos homens considera o trabalho a parte mais importante de sua vida. A maioria das mulheres considera que a família é prioridade absoluta. Então, quando a mulher está infeliz no relacionamento não consegue se concentrar no trabalho. Se o homem está insatisfeito no trabalho não consegue se concentrar no relacionamento.

22. O homem detesta críticas e é difícil para ele entender que o objetivo da mulher não é provar que ele está errado, mas sim ajudá-lo, pois ela o ama. Ela gosta do homem que reconhece os próprios erros.

23. Nos padrões culturais ainda vigentes, homem é desconfiado, competitivo, fechado, defensivo, solitário, esconde as emoções para manter o controle. Acha que falar de seus sentimentos e problemas aparenta incompetência.

24. Em geral, o homem tende a ser mais forte fisicamente que a mulher, e o hormônio masculino o torna mais decidido e impulsivo. A mulher é mais sensível e frágil. Experiências mostram que lágrimas femininas diminuem o hormônio masculino no homem e ele se torna, portanto, mais manso com isso.

25. Os homens são mais solidários entre si. Isso vem da época em que se reuniam em grupos para caçar e um era o salva-vidas do outro (nas guerras também isso acontecia). Hoje, as torcidas de futebol cumprem uma espécie de representação mítica desse tempo.

2
A família

Definindo família

Depois de muito pesquisar, a melhor definição que encontramos para *família* está baseada nos estudos de Bert Hellinger. Ele nos apresenta as Constelações Sistêmicas Familiares como um conjunto de pessoas que, através dos séculos, estão juntas com a missão de auxiliarem-se mutuamente, na tentativa de resolverem os problemas de sobrevivência e bem-estar.

O fato de apontar para esse contínuo nos alerta que aquilo que aconteceu no passado influencia o presente e refletirá no futuro. Nosso compromisso não se restringe a quem está conosco nesta jornada. Diante disso, atitudes imediatistas perdem fôlego e podemos caminhar mais seguros.

No mundo ocidental, na cultura cristã, a vinda do Messias ilustra a importância da família em dois importantes acontecimentos: Cristo, ao tornar-se humano, nasceu em uma pequena família, e, ao iniciar sua fase divina, foi a uma cerimônia de casamento, as Bodas de Caná, para indicar a importância desse evento.

CASAMENTO HOJE

Nos anos que passou com Maria e José, quanto aprendizado e emoção foram vividos por Jesus! Quantas vezes Maria fez curativos nos joelhos do filho, ralados nas pedras? Quantas marteladas Jesus não levou no dedo ao ajudar José no ofício de carpinteiro? Um pouco mais à frente, quando abordarmos o tema "processos", esse assunto voltará à tona e será fruto de um estudo mais detalhado. Nesse momento, alguns pontos serão esclarecidos como o entendimento essencial sobre o tempo, e também a compreensão de que o amor, o perdão e o respeito são conquistados com exercícios cotidianos dentro de casa, sob a supervisão de adultos saudáveis. Ainda que não tivessem nenhum conhecimento acadêmico sobre psicologia, Maria e José souberam moldar a natureza humana de Jesus, no contexto, em que os vínculos são a base das estruturas psicológicas e sociais, com eles formamos nossa personalidade e nossa convivência com os outros.

Nos últimos 150 anos, três fatores disruptivos têm influenciado o caminhar da humanidade em relação ao casamento. O primeiro teve início com a Revolução Industrial no meio do século XIX e o ápice nas duas grandes guerras mundiais, muito próximas uma da outra, no início do século XX. As mulheres, nesse período, tiveram de ocupar o lugar dos homens na família e nos escritórios, enquanto eles foram para os campos de batalha; depois elas se recusaram a retroceder. Com isso, profissionalizaram-se tecnicamente e, depois, foram para as universidades.

O segundo fator foi o desenvolvimento e a popularização dos métodos contraceptivos, a pílula anticoncepcional dos anos 60, e, no final do século XX, os bancos de esperma, de óvulos e a inseminação artificial. O controle da natalidade possibilitou que as famílias pudessem programar o número de filhos e a melhor hora de tê-los, desse modo, o casal pôde e pode fazer mais investimentos em suas carreiras profissionais.

O terceiro fator foi o aumento da diversidade de substâncias químicas que causam dependência e um maior número de pessoas envolvidas em atos de violência em decorrência do uso delas.

PARTE I

O álcool, presente em bebidas fermentadas ou destiladas, foi, por milênios, utilizado por praticamente todas as culturas. Acrescidos a ele nos últimos anos, com a aceleração da globalização, temos presenciado o uso crescente de outras substâncias que alteram o comportamento: maconha, cocaína, heroína, e os produzidos em laboratório, como o ecstasy. É um mercado em franca expansão, cheio de novidades, que tem provocado um crescente aumento de pessoas envolvidas em atos de violência pelo uso de entorpecentes.

Levando em conta os três fatores citados, vamos ter, então, famílias funcionais e disfuncionais. Para entender melhor, basta pensar que, todas as famílias passam e/ou passarão por problemas e conflitos. Mas o que as diferenciará é o unir-se para resolvê-los no caso das famílias funcionais. Aqueles que não pararem para resolver os problemas, conjuntamente ou separadamente, varrerão "a sujeira para debaixo do tapete", representando, assim, as famílias disfuncionais. Inclusive é até bonito observar o movimento contrário nas famílias funcionais: no cotidiano, cada membro leva sua vida própria, mas, nas celebrações ou nos momentos de dor, os membros juntam-se como se nunca houvessem se separado, para, logo depois, voltarem cada um para sua rotina, mais fortalecidos, por saberem que podem contar uns com os outros.

Antes da eclosão desses fatores, a família era patriarcal: o pai era a lei e a lei era o pai. No século XX, observamos a mulher e os filhos interferirem significativamente nessa ordem. Agora estamos assistindo à busca por um modelo, em que todos possam falar e ouvir, em que pai e mãe procuram chegar a um acordo, sendo a palavra final daquele que souber mais sobre o assunto em questão. As decisões sobre a saúde, educação e segurança da família sempre devem estar nas mãos do casal, ou seja, a decisão deve ser conjunta quando se tratar, por exemplo, de escolher a escola onde os filhos irão estudar.

No Brasil, estamos em uma fase de transição, em que se assiste a um percentual acentuado de famílias, cuja representação do chefe é uma mulher: mãe ou avó. É como se o homem, tendo

49

CASAMENTO HOJE

perdido a função de ser a lei, não tivesse mais a necessidade de estar presente na família. Uma das possíveis consequências desse "desaparecimento" paterno é o aumento da criminalidade e violência, inclusive contra a mulher. E, ainda que haja mecanismos de proteção à mulher e à criança, percebemos que eles são falhos e, muitas vezes, inócuos.

Há um fato curioso com relação à família que deve nos deixar atentos. Quando vemos comportamentos diferentes entre dois irmãos, dizemos: "Mas vieram da mesma família!" Os valores morais de uma mesma casa não costumam variar muito por décadas, mas as vivências de cada membro sim.

Ninguém tem a mesma família! Mesmo gêmeos univitelinos, um nasceu antes que o outro e cada um se alojou diferentemente no útero da mãe. Explico melhor, vou dar exemplo da nossa família:

Nosso primogênito tem o casal de pais, dois irmãos menores e uma irmã caçula, dez anos mais nova. Essa caçula tem o mesmo casal de pais, em outra fase da vida, e três irmãos mais velhos. Não se pode dizer que todos têm a mesma experiência familiar.

A família é tão importante que ocupa o honroso segundo lugar nos pilares de nossa estruturação como pessoas. Esses pilares são: espiritualidade, família, trabalho, relacionamentos e prevenção da saúde.

Violência contra a mulher

Ainda que a violência contra a mulher pareça não ter relação com o assunto anteriormente abordado sobre a definição de família, infelizmente, esse tema cada vez mais preocupa as autoridades nesta última década.

No Brasil, no início de 2017, a cada hora 500 mulheres foram agredidas e 15 foram mortas por dia. Grande parte desses casos de violência nasce no cotidiano das casas, dos casamentos ou das convivências, que iniciaram com fases e frases amorosas. Estamos falando de agressões de parceiros, tanto físicas quanto psicológicas e/ou sexuais.

PARTE I

Em nosso processo de desenvolvimento da inteligência emocional, devemos estar atentos não só aos sentimentos positivos, como também aos de raiva, rancor e ódio. Normalmente, esse tipo de emoção nasce com a alteração da voz e, em um crescente, vai para gritos, xingamentos, pequenos empurrões, safanões e, depois, socos.

No início, a mulher justifica: "Está com ciúmes, bebeu um pouco a mais etc.". Mesmo a menor violência não é sinal de amor e é sempre sinal de alerta. Como vivemos em comunidade, a mulher deve compartilhar o que está acontecendo e pedir ajuda logo no início.

Tolerância Zero e demais programas usados contra criminalidade são bem-vindos nesse assunto. Nas últimas cinco décadas, mesmo com o aumento das mulheres no mercado de trabalho, quando da separação do casal, a maioria delas fica responsável financeiramente pelos filhos, dificultando em muito uma solução.

Por que a lei Maria da Penha não tem funcionado tão bem? A impunidade é evidentemente uma questão prioritária; porém o aumento do consumo de drogas ilícitas e a lentidão da justiça são fatores que contribuem muito para isso. Outro fator que gostaria de salientar: a diferença salarial existente entre homens e mulheres, ainda que exerçam a mesma atividade, tanto no setor privado quanto no público. No Brasil e nos países onde isso ocorre, a violência contra a mulher é maior, ou diria proporcional: maior diferença salarial, mais agressões.

Acontece que as chefias são, em sua maioria, exercidas por homens. É como se eles dissessem: "Seu lugar não é aqui, então não vale muito". A violência nasce e reflete o preconceito. Acrescido a isso, a figura masculina se sente, cada vez mais, insegura diante do avanço das conquistas femininas, que acabam levando à revolta e à violência. Diante dessa realidade, os homens assistidos pelo programa da Lei Maria da Penha deveriam ter, além das punições restritivas, acompanhamento para educação emocional.

Uma orientação segura é evitar conversar com alguém em crise, ou com alteração de comportamento. Deixe para falar quando os ânimos voltarem ao normal. Se estiver alcoolizada ou drogada,

CASAMENTO HOJE

a pessoa, no dia seguinte, pode até não se lembrar do que ouviu, falou ou fez. Tente atuar com a prevenção, ou, se for o caso, posteriormente ao fato, sempre com a ajuda da comunidade e da lei. Nesse sentido, com a finalidade de auxiliar sobre como agir em momentos de tensão, vou usar um conceito vindo da teoria do Psicodrama: campo tenso e campo relaxado[1]. No campo tenso, as características básicas são: alto nível emocional na ação e grande estreitamento do campo perceptual, como se "sujeito e objeto" estivessem ligados por um túnel invisível. Podemos comparar a uma viagem a 130 km por hora: nessa velocidade, só vemos a estrada, o que compreenderia o "campo tenso"; já a 80 km, podemos ver as plantações, os rebanhos, os rios que cruzamos; essa metáfora equivale ao "campo relaxado". Portanto, a melhor opção é conversarmos quando estivermos no campo relaxado.

Pelo nosso olhar, a violência contra a mulher, em casos de separação por opção dela, conforme observamos nos noticiários de jornais e telejornais, muitas vezes, resultando em feminicídio, ocorre por alguns importantes motivos.

Vale ressaltar que quando a mulher decide colocar fim no relacionamento, o processo interno de sua decisão ocorreu anteriormente em um amadurecimento, muitas vezes, velado.

O companheiro, a partir da comunicação dessa decisão, iniciará o processo de entendimento em um momento mais difícil, uma vez que essa situação já está exposta socialmente. Os homens ainda vivenciam uma relação conjugal, na qual a posse prevalece sobre o amor que liberta, e eles não têm muito apoio de amigos para tratar do assunto, sem ferir a autoestima masculina.

Por outro lado, a mulher, recém-saída de situação de subjugada, empodera-se agindo prematuramente com uma liberdade ainda não estabelecida por ambas as partes. A separação ocorre em um processo em tempos, muitas vezes, diferentes para cada um, em que não existe um marco ou data que defina exatamente o rompimento, resultando em atitudes masculinas agressivas e de não aceitação.

---

[1] Conceito retirado do livro de A.C. Soeiro, *Psicodrama e Psicoterapia*.

PARTE I

Transferência e Tele

Quando se trata de refletir problemas no casamento, um conceito primordial a ser lembrado é o de transferência, explicado por Freud: nosso cérebro, por meio de circuitos preferenciais, desenvolvidos durante a evolução de nossa espécie, tem tendência a repetir, em situações novas, o contexto de situações antigas similares, o que foi muito importante para nossa sobrevivência.

Quando formamos um novo vínculo parental no casamento, trazemos a memória da vivência de nossos pais, tios e avós da família de origem, assim, cada parceiro traz para o casamento lembranças de outros relacionamentos. É comum ver pessoas agirem com seus parceiros como faziam com seus pais ou como os viam agirem um com o outro.

O conceito de tele[2], do psiquiatra Jacob Levy Moreno, é definido como uma apreciação correta das pessoas e de suas ações, o que possibilita uma comunicação clara e transparente.

Para que se consiga viver em plenitude, superando as transferências, é necessário um alto grau de maturidade emocional. Isso depende do lar em que a pessoa foi criada e o quanto investiu em seus vínculos na adolescência e na primeira fase adulta, que é o momento em que, geralmente, as pessoas se casam.

Um item do autoconhecimento do qual não podemos abrir mão são nossas expressões de amor. Quanto mais soubermos sobre como temos expressado nossos sentimentos amorosos e quais temos recebido, maiores as chances de tornar-nos uma pessoa realizada e com um casamento mais estável. Desse modo, é possível reagir a situações e sentimentos como eles são, e não como queremos que sejam, que julgamos que devam ser, ou como alguém de nosso passado foi.

Nossa cegueira nesse campo é notória. Observamos muitos viúvos só se darem conta do que sentiam ou recebiam dos cônjuges quando não podiam fazer mais nada por eles. Pelo visto

---

[2] Esse conceito foi publicado no livro *Psicodrama*, de Dalmiro Manuel Bustos, p. 25.

CASAMENTO HOJE

quem fica é quem mais tem que elaborar o amor póstumo. Mas isso é assunto para o último capítulo do livro.

Na transferência, olhamos o mundo pelo espelho retrovisor, enquanto na tele olhamos com lentes polarizadas, em que todas as cores ficam mais definidas e ressaltadas. Para fechar, um trecho do poema *Divisa*, de J.L. Moreno, escrito em Viena, no ano de 1914.

> *"Um encontro de dois: olhos nos olhos, face a face.*
> *E, quando estiveres perto, arrancar-te-ei os olhos*
> *e colocá-los-ei no lugar dos meus.*
> *E arrancarei meus olhos*
> *para colocar no lugar dos teus.*
> *Então, ver-te-ei com os teus olhos*
> *E tu ver-me-ás com os meus!"*

As expressões do amor

Gary Chapman define em seu livro, "As Cinco Linguagens do Amor[3]", cinco expressões básicas do amor. Faremos um breve resumo para despertar em você esse assunto de tantas sutilezas.

a) *Palavras de afirmação*

Como o flerte e namoro começam com olhares e palavras, vamos iniciar pelas palavras de afirmação, que são os elogios, as palavras encorajadoras, gentis e humildes; no sentido de fazer pedidos e não cobranças. Essa fase de aproximação é importante ser lembrada no decorrer das outras. Normalmente, com o passar dos anos, essas palavras somem de nosso vocabulário. E que falta fazem!

---

[3] O livro *The Five Love Languages* vendeu 10 milhões de cópias em inglês. Foi traduzido para 49 idiomas, incluindo o português, com o título *As Cinco Linguagens do Amor,* pela Editora Mundo Cristão, São Paulo, 2006.

PARTE I

b) *Tempo de qualidade*

Entrega é uma palavra que traduz esta etapa: olho no olho, foco, mesma meta, passeios, tarefas domésticas partilhadas, lazer compartilhado, entre outros.

Importante escutar o que o outro fala. Chapman chama a atenção para a tendência natural que temos de interromper o interlocutor a cada 17 segundos. Precisamos aprender a ler o que diz um olhar para alfabetizarmos nossos sentimentos. A máxima disso tudo está no tempo de qualidade dispensado à família. No Brasil, pela condição econômica da maioria das famílias, a mulher compõe parte da renda, com trabalho de 44 horas semanais, e, às vezes, é a mantenedora da casa. Sobra cada vez menos tempo para todos estarem juntos. Essa situação é um alerta sobre a importância de aproveitar ao máximo os momentos de família.

Vamos começar pelos eventos ocasionais familiares, como programação de férias, festas de aniversário e de final de ano. Todos os membros da família podem e devem participar, até as crianças menores, fazendo e desfazendo malas, confeccionando decorações, fazendo bolos e brigadeiros etc. Os menores podem pesquisar nas redes sociais para fazer programação de férias, sem sairem da própria cidade e ficarem hospedados na própria casa, que poderá ter ar de hotel, com café da manhã mais caprichado; podem também programar passeios a parques, clubes, bairros e ao centro da cidade.

O segundo item, para o qual gostaríamos de chamar a atenção, são os jogos e as brincadeiras, dos quais podem participar, como por exemplo completar quebra-cabeças. Nossa indústria está muito atualizada com jogos modernos e com reedições de jogos milenares. Parafraseando Jessica J. Alexander e Iben D. Sandahl, no livro "Crianças Dinamarquesas", é bom lembrarmos que brincar desenvolve empatia, estratégias de negociação e até habilidade para lidar com o estresse quando situações relativamente perigosas se apresentam. Assim, desenvolvem resiliência, um dos importantes componentes para a felicidade. Algumas ações podem ser feitas em casa e com baixo custo. Vale o investimento emocional dos pais ou de quem está cuidando.

CASAMENTO HOJE

O terceiro item sobre o tema é o mais cotidiano (de todos): as refeições, pelo menos uma vez ao dia, devem ser feitas em conjunto. No preparo dos alimentos, a tecnologia é bem-vinda com fogões, fornos e utensílios domésticos modernos. Na hora da refeição devem ser abandonados: televisão, celulares, videogames, ou seja, manter tudo desligado.

Os benefícios para a união da família e para a criação de hábitos saudáveis são inúmeros. Vejamos:

- Balanceamento nutricional das refeições.
- Desenvolvimento da estética (que deve ser ensinada desde a infância), com a decoração e arrumação de mesas, pratos, copos, talheres etc.
- Temas controversos, relacionados com o mundo externo, como política, religião e futebol, principalmente se está presente a família estendida: tios, primos e avós devem ser evitados. Como a comida relaxa (preste a atenção em um bebê após a mamada), os assuntos pessoais difíceis podem vir à tona sem grandes julgamentos e punições.
- Aprende-se a dividir, ouvir, servir e mostrar hierarquia: a primeira fatia do bolo ou pudim deve ser para a mulher mais velha na mesa, por exemplo.
- A educação de valores deve sempre ser abordada.
- A sensação de acolhimento, sentida principalmente pelas crianças, contribui para autoestima e segurança.

Enfim, a refeição serve como objeto intermediário para unir benefícios. Quando adultos, várias vezes ouvimos ou dizemos a frase: "Esta comida está boa, mas não como a da mamãe ou da vovó". É porque a receita pode ser reproduzida, mas aquele ambiente que carregamos em nossa memória não pode ser criado novamente. Isso é aproveitar o tempo com qualidade!

PARTE I

c) *Presentes*

Quando vamos presentear alguém, difícil escapar da reflexão como essa pessoa gostaria de ser agradada. Uma série de preferências pessoais aparecem: lugares, alimentação, música, vestimenta, cores etc. Vou relatar para vocês uma vivência do início de minha juventude. Isso me faz lembrar um Natal. Na época, estava usando muito aquelas pulseirinhas de prata, com plaquinha, em que se escrevia o nome. Eu queria muito ganhar uma, nem era cara. Veio o Natal, e eu não ganhei. Então fiquei refletindo: mas eu não havia dito nada a meus pais. Com cinco filhos, como adivinhar o que cada um queria?

O valor do presente também quase nunca é o mais importante. Para mim, não é isso que me fará sentir amada, pois até os brindes que meu marido ganha e traz para mim são queridos. Ops! Será que não estou enganada sobre a classificação que dei para o item "Presentes"? Não, não estou, pois a presença é sempre o melhor presente.

d) *Atos de serviço*

São pequenos gestos de gentileza e companheirismo para estarmos mais próximos. Como dissemos, anteriormente, hoje os atos de serviço não são meros atos de ajuda, mas são atos para compartilhar ou revezar as atribulações do dia a dia.

Também presenciamos, ficando encantados, quando estávamos de férias em um balneário, com a quantidade de pais, homens, acalentando os bebês para dormirem. São atitudes de servir e não de servidão.

e) *Toque físico*

Chapman finaliza com esse item. A troca de energia e as nuances de comunicação são imbatíveis.

CASAMENTO HOJE

Vamos relembrar o namoro: pegar na mão, no ombro ou na cintura, beijar, acariciar e manter relações sexuais são gradações que não devemos desprezar.

A famosa frase: "Mas ele chega a casa e quer fazer sexo de cara!" é uma queixa adequada. O sexo nasce da sensualidade, e as preliminares podem começar com um leve roçar na cozinha, enquanto se prepara o jantar ou almoço. Afinal, não há hora certa, há caminho certo e assertividade de afetos.

Nunca dispense um aprendizado do que é mais sensível no outro, tampouco a máxima que diz: "O cônjuge faz em você o que gostaria que fizesse nele".

Para ilustrar "as expressões do amor", apresentamos o belíssimo texto de Ruth Manús[4]:

Te amo, mas não te suporto

Dora reclamava para as amigas que o marido não era nada afetuoso. Dizia que ele era absolutamente incapaz de demonstrar seu amor por ela – se é que ele ainda existia, como fazia questão de ressaltar. Que jamais levava flores, jamais comprava joias e que nunca escrevera uma mísera carta de amor.

Dora dizia se esforçar, ser tolerante. Mas que, sinceramente, não sabia até quando aguentaria a indiferença de Geraldinho, aquele homem de olhos tão azuis por quem se apaixonara em 1997.

Chegou a casa e encontrou o marido na cozinha. Ao vê-la, Geraldinho abriu seu sorriso largo e manifestou sua alegria por vê-la chegar cedo do consultório. Disse que havia comprado as alcachofras, das quais ela tanto gosta, de um vendedor na esquina de trás, e que estava colocando-as para cozinhar. Ela nem ouviu e interrompeu reclamando: "Nem vem até a porta me dar um beijo?". Ele suspirou e voltou os olhos para a panela com água borbulhante.

---

[4] Publicado no jornal O Estado de S. Paulo, em 4/12/2016.

PARTE I

Dora colocou seu pijama contrariada. Arrumou a mesa para o jantar. Viu que Geraldinho tinha feito molho para a alcachofra com azeite, sal e vinagre. Ela questionou qual o azeite que ele havia usado. Ele disse que aquele menor, que estava aberto. Dora ficou furiosa, caminhou até o marido, que revisava um contrato importante de sua empresa na sala, e perguntou se ele não era capaz de diferenciar o azeite do dia a dia do azeite grego carésimo, que só poderia ser utilizado em situações muito especiais. Ele disse que não. E afirmou que se o azeite era bom, eles deveriam usá-lo. Não? Dora virou as costas. Foi reclamando para a cozinha, dizendo que ele não tinha regras e que não era capaz de respeitar as que ela estabelecia para aquela casa. Geraldinho levantou-se, foi até ela e deu-lhe um abraço silencioso. Depois, disse que sabia que aqueles tempos não estavam sendo fáceis, depois da perda do pai e da saída do sócio do consultório. Dora ficou um pouco mais mansa, pensou até em agradecer o marido. Mas interrompeu o momento bradando: "VOCÊ PAGOU A CONTA DA ÁGUA?!" "Paguei." "E A ESCOLA DO HEITOR?". "Também." "MARCOU A REVISÃO DO CARRO?". "Ih, esqueci". Pronto. Dora começou um monólogo sobre a falta de responsabilidade de Geraldinho, que sempre se esquecia de alguma coisa. E que sempre colocava as ervilhas no canto do prato. Quarenta e seis anos, Geraldo. Você tem 46 anos e ainda fica tirando ervilha da torta. E seu ronco. E os dias em que você chega tarde do trabalho. E os dias em que você chega cedo. E a forma como deixa as escovas de dentes descabeladas em duas semanas. Francamente, Geraldo, francamente.

CASAMENTO HOJE

Geraldinho preferiu não discutir. Ela precisa extravasar, pensava. Jantaram praticamente em silêncio. Dora mexia no celular, olhando o saldo da conta conjunta, quando viu uma compra de R$ 67,90 na padaria e começou um novo sermão. Geraldinho levantou-se e disse que aquilo acabava ali. Ela disse: "Não, não, eu não acabei de falar". Ele disse: "A gente acabou, Dora". Ela emudeceu. Geraldinho foi para o quarto e pegou uma mala. Dora disse que finalmente ele teve coragem de assumir que não a amava mais. Que finalmente ele se portou como homem. Parabenizou-o, bateu palmas irônicas. Geraldinho já não sabia quem era aquela mulher. Atirou duas mudas de roupa na mala, a escova de dentes descabelada e o contrato da empresa.

Chegou na porta, virou-se para trás e disse: "Eu te amo, Dora. Eu te amo, mas não te suporto mais". Ela riu e disse: "Se você tivesse demonstrado algum amor, eu não seria tão insuportável, como você diz". Ele fechou a porta. Dora teve a certeza de estar certa. Enquanto isso, o amor de Geraldinho seguia boiando nas alcachofras da panela, nos boletos pagos no prazo e nos abraços mudos. Mas ela nunca os viu. Estava ocupada demais, queixando-se da falta de flores e de joias.

Oficina de linguagens do amor

Gary Chapman propõe algumas reflexões sobre como o amor é expressado. O importante é cada um conseguir ver como o outro demonstra seu amor e também aprender como demonstrar o amor em uma linguagem que o outro possa entender. Para isso, vamos fazer honesta e sinceramente os exercícios propostos a seguir:

PARTE I

1. Liste até cinco qualidades que admira em seu cônjuge. Você vai precisar, para treinar, de palavras de afirmação: gentil, pontual, organizado, bem-humorado, trabalhador, parceiro etc. Mas lembre-se sempre de ser sincero.

2. Identificando sentimentos: liste três vezes ao dia, pelo menos, as situações que o levaram a sentimentos mais intensos, tanto negativos como positivos. Por exemplo: o marido, em um restaurante, olha atentamente para toda mulher que passa. Esse comportamento poderá gerar na esposa sentimentos de desrespeito e desvalia. Use poucas palavras que os descrevam. Depois, converse com seu cônjuge sobre o ocorrido.

3. Faça uma lista, em ordem decrescente, de suas linguagens do amor. Repita o mesmo para o cônjuge. Depois comparem e vejam as margens de acerto. O quanto vocês conhecem o outro nesse aspecto?

A mesa e a toalha

Quando estudamos hábitos alimentares, a toalha de mesa entra no quesito unificar os convidados. O recente uso de jogos americanos, com seus pedaços de pano ou outro material, fragmenta essa sincronia, ajudando a formar "gente-ilha". Assim como não temos mais tempo de lavar e passar as toalhas, também não temos tempo de cuidar das crianças; ao menos, devíamos jantar todos juntos e colocar as crianças para dormir.

Quando chegou nossa mesa nova, lembrei-me de meu pai. Era uma pessoa que, mais que o exemplo, fazia questão de explicar o cotidiano para nós; o que em suma é filosofia para a criança. Ele usava muito as refeições para isso. A mesa é uma prancha de madeira única, com 3,30 m de peroba rosa, feita quando não havia proibição da extração dessa madeira para mobiliário. Aproveitamos para falar com os netos, à maneira de meu pai, sobre desmatamento, que só podemos cortar árvores que não são nativas no Brasil, e também sobre a fauna, sobre o Ibama etc.

Vamos ter de mudar alguns hábitos: sempre servi a família à mesa, mania de mãe italiana. Agora, com essa extensão, não será

CASAMENTO HOJE

mais possível. Vamos usar o aparador para auxiliar com as travessas de comida. As toalhas de mesa terão quatro metros e serão de tecido fino para não dificultar a manutenção de lavar e passar. Mas estarão lá. Com os anos e as fases novas do casamento, aprendemos que temos de abrir mão de alguns costumes, mas o essencial tem de ser mantido. Por exemplo, se não tivermos uma postura de agilidade e mobilidade, a famosa síndrome do ninho vazio, isto é, quando os filhos-passarinhos voam do ninho para sempre, acaba por nos engolir. Aqui em casa não fez pouso.

A refeição será sempre para nós uma das formas mais recorrentes de congregação, transmissão de ideias, valores, verdades e de comemorações. É em volta da mesa de refeição que reunimos a família, os amigos, os amados e até fechamos negócios. A partilha do alimento, nessas situações, é o ponto comum entre os convidados, formando, assim, uma comunidade, ainda que cada um tenha seu objetivo. A partilha entre todos é um ato de distribuir amor.

O alimento congrega em si a mensagem da paz e da confiança. Em sua elaboração, foram usados processos, cujo tempo é um fator imprescindível. Cozinhar, em última instância, é prestar atenção no tempo e na temperatura. Nesse momento, a ansiedade não é bem-vinda, pois a magia desse instante é transferida para aquilo que será servido.

Com a evolução da era industrial e agora tecnológica e digital, alterações profundas ocorreram. As famílias têm, cada vez mais, horários diferentes para as refeições. O almoço, por exemplo, muitas vezes nem é feito nas residências; a comida é preparada em indústrias.

Quando estudamos os hábitos alimentares, aprendemos que o excesso de som (como, por exemplo, uma praça de alimentação em um shopping) induz ao aumento da velocidade de ingestão e do volume da comida, como se estivéssemos disputando um pedaço de caça. Ainda somos reféns dos costumes de milênios de evolução e trazemos, por baixo de um verniz de civilização, determinações inconscientes e imperiosas de comportamento.

PARTE I

Um índice de refinamento social, passado, com calma e perseverança, às crianças e aos adolescentes, é o uso de talheres e copos adequados durante uma refeição; a obediência à sequência dos pratos; o famoso "Não come sobremesa se não jantar" ou a regra "Não se repete sobremesa" são exemplos de treino de autocontrole e da ansiedade. Isso dá base para criar adultos com maior resiliência, isto é, mais resistentes às frustrações inerentes à vida. Antes, como as famílias eram numerosas, um pudim tinha de ser grande e bem dividido para cada um comer um pedaço.

Todas as alterações que presenciamos nas refeições atuais refletem no desenvolvimento familiar. Diante disso, é fácil ver que a paz, a união e o amor estão passando por mudanças importantes e com consequências, às vezes, preocupantes.

Parte II

Casamento

Na segunda parte do livro, trataremos sobre o conceito das "fases do casamento". Conhecê-lo pode auxiliar muito no entendimento de que cada fase deve ser vivida para passarmos para outra, desse modo, concluímos que a fase é sequencial, mas também pode ser cíclica no sentido de que podemos revisitar, posteriormente, uma fase anterior já vivida.

Muitos casamentos encontram barreiras intransponíveis quando o casal ou um dos cônjuges, no término de uma fase, acredita ser também o término do relacionamento. Acrescido a isso vem o fato de que cada um pode estar em um nível diferente em relação àquela fase.

A noção de que podemos nos casar com o mesmo parceiro quatro vezes no decorrer da vida a dois pode parecer muito estranha aos novos casais. As gerações de hoje, com nomenclaturas de fim de alfabeto (x, y e z), cujo imediatismo é reforçado pela era digital e o consumismo, pregam a cultura do descartável, estão sem treino para "reciclagens" internas, pois esse processo, ainda que muito propagado, ocorre geralmente longe dos olhos deles, em usinas longínquas, dando ao processo muito mais a impressão de dificuldade do que de possibilidade.

Entra aqui a ideia de felicidade como capacidade de adaptação a situações novas. Vamos, então, ser felizes nas duas grandes situações de vida: trabalho e constituição familiar. Quem diz que trabalha por dinheiro foca

CASAMENTO HOJE

em uma das consequências do trabalho, perde a visão do processo contínuo que proporciona desenvolvermos nossas aptidões intelectuais, físicas, emocionais e sociais. Pensando bem, somos na maioria tão mal remunerados que, se fosse por dinheiro, nem o faríamos. Santa Madre Teresa de Calcutá, junto a um jornalista, em visita a uma de suas obras, ouviu dele: "Madre, não faria esse trabalho por dinheiro nenhum do mundo", no que ela retrucou: "Nem eu".

No trabalho, há de se considerar os estudos e a preparação técnica. Hoje, com o conceito de múltiplas inteligências[1], as gerações mais novas têm a bênção de poder transitar em um mundo maior de realizações pessoais. O psicólogo Olivier P. John, professor da Universidade da Califórnia, alerta: "Mais que as inteligências, temos de ter as habilidades socioemocionais como empatia, persistência e autocontrole". Ter essas habilidades é ser inteligente com pessoas.

No casamento, a aproximação do parceiro e as fases preliminares (namoro e noivado) são importantes para definirmos o que buscamos: constituir uma família, mesmo que seja de dois membros. Essa é a meta. Ser feliz é condição de vida. Esperar conquistas para ser feliz é ilusório. Um dos graves erros que as pessoas cometem é dizer: serei feliz quando me formar, ou tiver um emprego, ou tiver um parceiro, ou tiver filhos. Na verdade, o grande desafio é a busca dessas metas. Procure ser feliz durante o processo de conquista de seus objetivos.

Como pode observar, incluímos a quinta fase do casamento: o término por separação ou luto. É importante ressaltar que mesmo nesse momento vale a promessa da adaptação a situações novas.

O casamento entra para também nos equilibrar, ressaltando aqui as potencialidades na seguinte ordem: emocionais e sociais. E por que não as intelectuais e físicas? Lembra que, na primeira parte do livro, Jesus se torna humano no seio de uma família? O maior grau de satisfação de muitas pessoas ainda hoje é poder dizer sobre seus filhos, quando indagadas: "Formei e casei todos".

---

[1] Teoria desenvolvida pelo psicólogo norte-americano Howard Gardner, no início da década de 1980. O pesquisador partiu do questionamento sobre os testes de QI como forma de medir a inteligência das pessoas.

3
As cinco fases
do casamento

Na primeira parte do livro abordamos o autoconhecimento e alguns aspectos que podem atrapalhar a formação de uma boa cumplicidade. Agora, vamos tratar das diferentes fases do casamento, começando pelo namoro e noivado, pois são as fases preparatórias e têm sua importância e consequências sobre as outras.

A primeira noção que devemos ter, como foi escrito anteriormente, é que as fases são sequenciais, mas podem ser retomadas quando conquistadas. O namoro pode acontecer durante as demais fases do casamento. Vemos isso frequentemente em casais de meia-idade. Quando os filhos saem de casa, em vez de experimentarem o "ninho vazio", voltam a namorar e curtir o lazer do qual precisaram abrir mão enquanto criavam os filhos.

Normalmente, os estudiosos dividem o casamento em: encantamento, desencantamento, elaboração e reintegração. Adicionamos mais uma fase: a que corresponde ao término da parceria, que chamaremos de arremate, seja por separação ou por luto. Nessa fase, o vínculo é outro, mas ele existe e tem sido negado, negligenciado ou, até, superestimado. Passado o período

CASAMENTO HOJE

de turbulência, ele precisa ser visto com serenidade. Tudo que termina bem arrematado possibilita que se siga em frente.

No decorrer desses cinco processos vamos usar a analogia do cultivo da terra, pois, é para nós, do interior, familiar a lida do campo.

O grande benefício do conhecimento das quatro primeiras fases é podermos casar com o mesmo parceiro em cada uma delas. Por isso, é importante compreender que, no caminhar juntos, há transformações que podem resultar em acréscimos, não em perdas. Além disso, é preciso entender que o término de uma fase não significa que o casamento acabou, portanto, é essencial que não se tomem atitudes drásticas ou precipitadas.

1ª Fase: Encantamento
"Andarão dois juntos, se não houver entre eles acordo?"
(Am 3,3)

Na roça, a primeira fase corresponde à hora de escolher o terreiro, iniciar a drenagem, medir a acidez do solo, insolação, demarcar distanciamento das mudas, fertilização, irrigação, direção dos ventos e escolher a melhor semente.

No casamento, corresponde ao processo de sedução: aproximação da terra (mulher) e da semente (homem). É o processo mais mágico das cinco fases. Envolve uma quase magia que nossa espécie selecionou para se preservar. É comum chamar essa fase de "apassarinhamento", "viver no mundo da lua", para caracterizar a paixão. É como se a razão fosse amortecida ou inibida pela sedução. A preservação da espécie é imperativa e superior à sobrevivência individual. Não entramos nessa fase com consciência, ela entra em nossa vida sem bater à porta.

No processo da roça, tudo é feito de caso pensado e medido; já no da sedução, às vezes parece até um vendaval, embora todas as etapas sejam cumpridas nesse turbilhão.

O que tem ocorrido aqui no Ocidente, muito em virtude de estarmos com um estilo de vida imediatista, é encurtar essa fase,

PARTE II

que costuma durar de sete meses a dois anos. Inicia no namoro, vai para o noivado e adentra uns meses do casamento. As pessoas quase nunca procuram ajuda nessa fase e, quando alertadas sobre algo no parceiro que o desabone, às vezes até gravemente, respondem com um "Você não o conhece como eu o conheço". O que é lógico porque quem está envolvido só conhece o lado bom. Mas a compreensão da pessoa volta na fase seguinte: no desencantamento.

Não é só enamoramento. É mais amplo. Dentro dessa fase, cabe toda a magia, alegria, não ouvir, não ver, não julgar, um distanciamento da realidade difícil de ser reproduzido em outra experiência. É a fase que Roberta Campos, compositora e cantora, diz: "Te amarei de janeiro a janeiro até o mundo acabar".

Nela, há uma pergunta que está sempre presente: "Dão mais certo os casamentos por semelhança ou por diferença?"

Nas épocas anteriores à era industrial, os casamentos eram mais por semelhança, considerando a idade, nível socioeconômico, escolaridade, raça, religião e hábitos culturais. As comunidades eram menores, não havia grande intercâmbio entre elas e, muitas vezes, o parceiro era escolhido pelos parentes de ambos os lados. O amor romântico só vai aparecer no século XV e passou a ter, neste momento, uma lista com os possíveis pretendentes, ou melhor, com os possíveis pares. Antes, casava-se e, depois, amava-se (ou não) o parceiro. As diferenças ficavam por conta dos traços de comportamento: temperamento, qualificações de trabalho etc.

No Ocidente, onde hoje podemos escolher o parceiro, acrescido da onda de globalização muito evidenciada no recente fenômeno das grandes imigrações motivadas por fome, guerras e perseguições religiosas, assistimos cada vez mais a parcerias por diferenças.

Na época das grandes correntes migratórias, oriundas da África, levamos milhares de anos para formar os diferentes grandes grupos humanos que temos hoje. Agora, em questão de meses, temos novos formatos de parcerias. Algumas poucas caracte-

CASAMENTO HOJE

rísticas são imutáveis, como etnias (miscigenadas ou não), cor da pele, dos olhos, dos cabelos e altura, que resistem, mesmo quando maquiadas. Outras têm pouca mobilidade, como tipos de inteligência e temperamento, e algumas religiões. Por último, as de maior mobilidade: nível educacional, econômico, cultural, escala de valores e sociabilidade.

No decorrer dos anos do casamento, tanto as semelhanças como as diferenças podem não evoluir bem. Explicamos melhor: as semelhanças, inicialmente atraentes, podem trazer monotonia e desgaste. Por exemplo, se ambos são, no item sociabilidade, mais reclusos, com o correr dos anos vai faltar animação. Pode também haver o risco de aparecer competição quando, por exemplo, eles têm a mesma carreira profissional, ou ainda inveja se um se sobressair mais que o outro. Lembrem-se: quase sempre casamos jovens e pouco sabemos sobre nossas potencialidades.

Quando se trata de diferenças (logo lembramos do ditado: "Os opostos se atraem"), também há riscos. Algumas características se complementam, por exemplo: o mais falante expressa a opinião do casal, na qual o mais calado teve participação. Mas outras características se opõem, por exemplo: uma pessoa mais notívaga (lua), que gosta de festas, filmes na televisão tarde da noite, casa-se com um surfista (sol). Nesses casos, o ditado então poderia ser complementado: "Os opostos se atraem, mas depois podem cansar".

No decorrer do casamento, quando as carreiras profissionais se consolidam e acontece ou não a vinda de filhos, que é fator imprevisível, as características de maior mobilidade são alteradas desigualmente. Uma profissional bem-sucedida, por exemplo, admirada pelo marido por isso, cujo filho nasceu com problemas incapacitantes de um desenvolvimento normal, é obrigada a largar a carreira para cuidar dele. Esse fato poderá gerar um desgaste fatal no relacionamento. Entretanto, há casos em que ocorre a harmonia das diferenças, como na letra da música "Eduardo e Mônica", da banda Legião Urbana, que eterniza uma evolução, até segunda geração, de diferenças harmonizadas:

PARTE II

"E os dois comemoraram juntos
E também brigaram juntos, muitas vezes depois
E todo mundo diz que ele completa ela e vice-versa,
que nem feijão com arroz."

Juntos é a palavra mágica. Em qualquer caso, por semelhança ou diferença, a cumplicidade é forte aliada em detrimento da competitividade.

2ª Fase: Desencanto

Na roça é hora de ver brotar as sementes e, muitas vezes, com elas, as ervas daninhas. Geralmente, são tão parecidas que é prematuro, como ensinam os costumes milenares, arrancá-las assim que surgem. Espera-se um tempo para que se diferenciem um pouco mais e, só então, faz-se a extração, como o joio do trigo.

Nos contos de fada é hora de a bruxa aparecer, lançar um feitiço no príncipe e ele se transformar em sapo. No casamento, o encantamento e o desencantamento têm muito de magia, isto é, estão além do controle total dos envolvidos e são vias de mão dupla. Aqui, na fase de desencanto, cada um vê o outro como sapo, mas não se reconhece como sapo. A cegueira continua. Se na primeira fase enxergavam mais as qualidades e virtudes, nessa enxergam mais os defeitos e as dificuldades.

Pessoas pouco resistentes à frustração tendem a ficar muito perdidas nessa fase. Não podemos deixar de lembrar que hoje estamos criando jovens com baixos índices de resiliência. O próprio mundo digital, em que o apertar de um botão, ou melhor, o deslizar de um dedo remete-nos a outras situações, o que também ocorre na esfera da magia, não nos ajuda a enfrentar essa realidade.

A grande pergunta nessa fase é: "Podemos mudar alguém?" Se o que vemos no outro – agora um sapo – nos incomoda, é natural iniciar uma inquietação em nós para que aquilo desapareça.

CASAMENTO HOJE

Podem ser fatos concretos, como fumar ou beber, mais sutis, como o uso excessivo das telas (celular, computador, televisão), ou ir muito à casa da mamãe, entre outras tantas coisas. Também pode acontecer de surgirem comportamentos desconhecidos até pela própria pessoa, como ciúmes, tendência a controlar o outro em todas as atitudes etc.

Nessa fase, o que achamos produtivo é apresentar o gráfico de "Características versus Desempenho", deixando clara a otimização de nossas performances.

Gráfico características versus desempenho

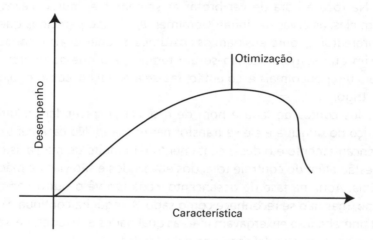

Se aumentarmos muito qualquer característica pessoal, o desempenho cairá. Desse modo, precisamos encontrar um ponto X em que a otimizaremos. Neste momento, aprenderemos que nossos defeitos, que tanto incomodam quem está ao redor, são os exageros de nossas qualidades. Exemplo: falar a verdade faz parte da honestidade, mas é senso comum que a pessoa franca demais incomoda, pois não sabe filtrar as informações e adequá-las. Outro exemplo: uma pessoa muito organizada acaba ficando rígida, intransigente, controladora, então o que era uma qualidade passa a ser um defeito.

PARTE II

Se precisar, procure ajuda. O parceiro não pode se ver como o grande agente de mudanças. Hoje, existem várias linhas de terapias individuais, em grupo ou de casais inclusive na rede pública. Os fármacos tiveram um avanço considerável para alívio de ansiedades, depressões etc. E ainda temos as terapias complementares como acupuntura, meditações milenares e orientação para alimentos mais funcionais. A regra é: não fique sozinho com suas dificuldades. Em um claro processo evolutivo, o ser humano parece ter entendido que é difícil estar ou resolver as coisas sozinho. O reconhecimento de que todos precisam de ajuda vem aumentando.

Vamos viver mais felizes?

3ª Fase: Elaboração

Na roça é a hora de curvar-se, de arrancar as ervas daninhas, tornar a fertilizar, aguar, fazer enxertos, podar, estaquear, tirar o excesso de brotos e pulverizar.

Muitos autores denominam essa fase como "válvula de escape", referindo-se ao fato de que desviar a atenção para o trabalho, para as crianças e para os engajamentos sociais aliviaria as tensões resultantes da segunda fase, assim o casamento poderia prosseguir.

Consideramos essa a etapa mais importante. Primeiro porque é mais longa que as anteriores, geralmente acompanha grande parte de nossa fase reprodutiva e é movida por muitos bons e bem-vindos hormônios. Segundo, por ter uma base de realidade suficiente para iniciarmos uma vinculação forte com o parceiro. Explicamos: as duas primeiras estão à mercê de magias, de egoísmos e cegueira. Nessas fases geralmente o beijo e o ato sexual ocorrem de olhos fechados (repare nos filmes), pois o outro não importa ou não existe. Estamos focados em nós mesmos. Na terceira fase são feitos de olhos abertos, para que possamos receber o masculino ou feminino que irá nos completar.

Diante disso, nosso olhar se direciona também para nossa profissão, para os filhos que terão vindo, para a comunidade, as

CASAMENTO HOJE

relações sociais etc., consequência desse despertar que poderá enriquecer a relação.

O próprio desenvolvimento pessoal terá grandes avanços. Você descobrirá sentimentos nunca antes experimentados: tanto os bons – como o amor pelos filhos –, quanto os difíceis, como o ciúme até mesmo do filho que "rouba" a atenção da mãe, pelo menos nos primeiros meses.

Nessa fase, as amizades são preciosas, por ajudarem os casais a passarem por ela com mais tranquilidade. Nesse momento, a socialização é mais fácil, pois vários grupos se formam: profissionais, esportivos, culturais, de amizade, além do grupo de pais dos amigos dos filhos. Nossa mobilidade está altíssima, o que provoca encontros.

Para existir uma boa amizade entre casais é preciso que os quatro gostem uns dos outros. Cada um de si mesmo, cada par entre si e cada um dos dois outros. Matemática difícil, mas não impossível.

As pessoas nesses grupos ajudam-se mutuamente, partilhando dúvidas em relação às crianças, passando finais de semana e férias juntos e apoiando em possíveis crises. Na fase do ninho vazio, serão companhia certeira.

Nossos amigos de infância, muitas vezes, na juventude tomam rumos diferentes. Temos acompanhado nossos filhos, nessa fase, agregarem novos amigos que os acompanharão até a fase de reintegração, pois na fase do ninho vazio eles serão muito importantes. Temos amigos há mais de quarenta anos, a quem somos muito gratos pelas alegrias e pelo companheirismo.

O exercício do sentimento de amizade deve ser sempre buscado mesmo em famílias numerosas, pois a relação com os amigos é sempre diferente daquela que temos com nossos familiares.

Enfim, antes de continuarmos, é aconselhável pararmos um pouco para refletirmos sobre como estamos construindo juntos nossos lares. O texto que segue é uma fábula atribuída a Charles Péguy. Encontramos essa versão no site Info Branding: "A Fábula dos Três Pedreiros", por Felipe Versati:

PARTE II

"Certo dia, passava um homem pela frente de um grande canteiro de obras cheio de andaimes, ferragens e madeiras. Ficou surpreso com o tamanho da obra e curioso para saber o que estaria sendo construído ali. Notou que logo próximo da calçada havia um operário trabalhando. Calmamente, com sua enxada, ele misturava areia e cimento. O homem, então, perguntou: 'O que você está fazendo?' E este, distraído, respondeu: 'Estou preparando argamassa'. Passado algum tempo, o mesmo homem, estando novamente por aquele lugar, encontrou um outro operário também misturando areia e cimento. Tornou a fazer a mesma pergunta para ver se, desta vez, descobria que obra era aquela; e a resposta foi: 'Eu estou levantando uma parede'. Em outro dia o homem, de volta ao mesmo local, encontrou um terceiro operário que, como os outros, misturava areia e cimento. E como das outras vezes, também perguntou: 'O que você está fazendo?'; o operário, então, parou, olhou para o homem e, com muito orgulho, respondeu: 'Eu estou construindo uma Catedral'".

E você, como está construindo sua família, a pequena Igreja? Com companheirismo, alegria, entusiasmo, que possibilitarão não sentir cansaço e superar as dificuldades? Que argamassa está usando? Antônio Prata nos diz: "Às vezes são semelhanças, às vezes são diferenças, às vezes látex e cera quente, às vezes baião e maria mole".

Como dissemos no início dessa fase, ela é a mais longa e a mais importante. Fazem parte dela quatro temas que consideramos prioritários: **sexo, educação financeira da família, crianças e perdão**. Por serem de tamanha importância, vamos tratá-los separadamente.

77

CASAMENTO HOJE

1º tema: Sexo

A primeira coisa que um casal costuma indagar é sobre quantas vezes, durante a semana, eles devem ter relações sexuais. Logicamente, não há um padrão, mas enquanto estiverem mantendo uma média de uma relação a cada cinco dias, pelos padrões brasileiros, pode-se considerar que tudo está indo bem. Não é um fator que desestabiliza uma relação; entretanto, quando algo começa a indicar um distanciamento, diminuição da libido, autoestima rebaixada, chegando à aversão, é sinal da necessidade de um olhar mais atento, carinhoso por parte dos cônjuges, pois esse fato poderá contaminar outras áreas do relacionamento como, por exemplo, o trabalho.

Nada liga tanto duas pessoas como a atração sexual que sente uma pela outra. Isso é muito benéfico, pois faz com que deixem de olhar só para si mesmas e direcionem o olhar para o outro, em busca de completude. Faz com que mantenham bem os cuidados pessoais, uma vez que a aparência é seu cartão de visita. Portanto, se querem "receber visitas", é bom se manterem ágeis, pois a dinâmica é sempre de procura e busca, produção e troca de energia e, após, relaxamento. Enfim, essa força propulsora faz a roda da humanidade girar. A publicidade associa, clara ou subliminarmente, produtos ao desejo para gerar vendas; pega "carona" nessa matriz que já está dentro de todos os seres humanos, após a adolescência. A ideia de sexo está sempre associada à saúde, a corpos e atitudes saudáveis.

Alguns fatores, principalmente no mundo moderno, pós era agrícola, têm contribuído negativamente no desempenho sexual. No homem, a ejaculação precoce, quando ronda, é fator inibitório (sobre a menopausa e a andropausa, falarei na quarta fase do casamento) e pode causar um grande desgaste no relacionamento. Outro fator importante, e que tem afetado ambos, é o excesso de trabalho e o estresse gerado por uma jornada que se estende além do ambiente de trabalho, que chega, não raro, à casa das pessoas. Para a mulher, há dois pontos bastante relevantes e que

PARTE II

têm grande responsabilidade no desempenho sexual: o desgaste de ter de enfrentar uma dupla jornada de trabalho e as variações hormonais, dentre elas as causadas pela TPM (tensão pré-menstrual). Embora nem todas as mulheres sofram com ela, há casos extremos em que uma mulher, na idade fértil, pode passar duas semanas com TPM e uma semana menstruada, restando-lhe, apenas, uma semana por mês com estabilidade hormonal.

Voltando ao casal, existe ainda a ocorrência de alguns transtornos psíquicos que, embora não muito preocupantes, sempre causam desgaste. Trata-se, por exemplo, da ansiedade e da depressão, cada vez mais frequentes em nosso século, sem falar nas crises econômicas que estamos vivendo e o consequente desemprego, que atinge ambos os sexos e, por consequência, o casal.

Se por um lado há todas essas dificuldades, por outro hoje dispomos de recursos de cura ou paliativos, que muito nos auxiliam, inclusive oferecidos pela rede pública de saúde. São mecanismos que, mesmo não curando, aliviam o estresse causado por tais transtornos. Trata-se, não só de intervenções medicamentosas, como também o auxílio de terapias psicológicas, com todas as linhas ofertadas nos últimos cem anos, bem como dietas diuréticas, energéticas, acupuntura, meditações etc. Diante disso, não procurar ajuda é sinal de não reconhecimento próprio. Portanto: como exigir respeito e gentilezas do parceiro se a pessoa não cuida de si mesma? O que nos acontece pode até não ser nossa culpa, mas o que fazer com o que nos acontece é de nossa total responsabilidade.

Em síntese, cabe a pergunta: por que tantos conflitos em relação ao desempenho sexual? Primeiramente, porque nos enganamos em acreditar ser uma performance conjunta. Embora seja feita a dois, cada parceiro tem sua autonomia, o prazer é individual (ocasionalmente e não necessariamente ao mesmo tempo). Temos pilhas e pilhas de livros que falam sobre técnicas sexuais. Estudos indicam níveis de testosterona maiores nos homens, justificando maior interesse deles no assunto, tudo correto e comprovado por estatísticas.

CASAMENTO HOJE

No entanto, é importante que se compreenda o porquê que as melhores performances sexuais ocorram na primeira e segunda fase, enquanto que na terceira ocorre um declínio. A mulher, 80 anos atrás, preparava-se para ficar grávida de oito a doze vezes e sabia que cada filho – entre gestação e amamentação – iria consumir dela em média três anos; isso multiplicado por doze consumiria trinta e seis anos, quer dizer, toda a sua vida fértil. A esposa estava sempre atarefada com a prole e, consequentemente, cansada. Hoje, as mulheres substituíram a grande quantidade de filhos pela segunda jornada de trabalho, geralmente fora do lar. Continuam cansadas... Se a escolha do parceiro, além do aspecto reprodutor, era também a de protetor, isso deveria continuar valendo. A proteção nasce no carinho; e esse é o primeiro sinal que elas identificam em um parceiro protetor. Quando há divisão de tarefas no lar, quando o marido é sensível ao ponto de perceber que as tarefas domésticas há muito deixaram de ser de exclusiva responsabilidade da mulher, ela certamente ficará menos cansada e com mais tempo para ser companheira. Um marido sábio logo intui que, para ter uma esposa embaixo ou em cima dele, deve, primeiramente, colocar-se ao lado dela!

Nunca é demais lembrar que esse assunto pode ser conversado a qualquer hora, menos (por favor!) imediatamente antes, durante e logo depois. São momentos sagrados, como quando estamos em um templo: calados!

Para finalizar esse tema, comento agora um poema de Adélia Prado, intitulado "Casamento"[1], pois acreditamos que ele tenha uma relação bastante estreita com o que foi abordado nessa temática.

Casamento

Há mulheres que dizem:
"Meu marido, se quiser pescar, pesque,
mas que limpe os peixes".

---

[1] *In:* Prado, Adélia. *Poesia Reunida.* Ed. Siciliano. São Paulo, 1991, p. 252.

PARTE II

Eu não. A qualquer hora da noite me levanto,
ajudo a escamar, abrir, retalhar e salgar.
É tão bom, só a gente sozinhos na cozinha,
de vez em quando os cotovelos se esbarram,
ele fala coisas como "este foi difícil"
"prateou no ar dando rabanadas"
e faz o gesto com a mão.
O silêncio de quando nos vimos a primeira vez
atravessa a cozinha como um rio profundo.
Por fim, os peixes na travessa,
vamos dormir.
Coisas prateadas espocam:
somos noivo e noiva.

Nele, logo nos três primeiros versos, a autora delimita seu território psicológico: coloca toda a informação de livros, revistas, conversas com amigas, observações que tenha feito fora de sua "casa". Na palavra "ajudo" estabelece aquilo a que dá prioridade: parceria, companheirismo e cumplicidade.

Nesse empoderamento feminino, cria-se a acolhida, e a intimidade aparece: a sensualidade de cotovelos se esbarrando cria espaço para a fala do masculino "este foi difícil" e se completam.

Colocar peixes em travessa finaliza uma etapa e ir dormir amplia a dimensão para antes escamas prateadas saltaram quando saídas das peles dos peixes, agora, luzes do amor que saltam dos olhos.

O trecho "somos noivo e noiva" nos remete ao início dessa segunda parte do livro, quando disse que podíamos, estando em uma fase, voltar a fases anteriores. O dinamismo e a flexibilidade psicológica com maturidade afastam qualquer monotonia ou cansaço (a qualquer hora). O amor nasce no respeito, a começar da própria pessoa, na acolhida, no companheirismo, na sensualidade e no sexo.

Adélia Prado poderia ter intitulado de várias maneiras esse poema, mas, quando o faz com "Casamento", ela sintetiza tudo o que é importante nesse conjunto.

81

CASAMENTO HOJE

2º tema: A educação financeira da família
"Onde falta o pão, todos gritam, e ninguém tem razão."

(Ditado popular)

Antes de falarmos sobre os conflitos que advêm da lida com o dinheiro, vamos pensar um pouco nos aspectos simbólicos do assunto. Dinheiro é a materialização das energias que utilizamos em nossos projetos e em nossa vida profissional. Não raro, para que deem bons frutos, investimos antes nos estudos e no treino para obtermos as ferramentas necessárias para realizá-los. Lembrando que a psicanálise nos explica que os frutos de nosso trabalho são as segundas produções. As primeiras realizamos no treino do peniquinho[2], e essa relação de como nos comportamos traz consequências na maneira como lidamos com o dinheiro.

Tomar coragem e enfrentar os diálogos no casamento sobre esse assunto, digamos, mais neutro, pois o dinheiro é número e

---

[2] Assim como temos falado tanto sobre entender o Tempo de Deus para nossos projetos pessoais, faz-se necessário aqui falar agora sobre o Tempo de nosso Corpo. O treino do peniquinho – que é o controle de nossos esfíncteres – possibilita que a família interfira muito na formação de algumas características da personalidade dos filhos. Diante disso, uma mãe ansiosa pode iniciar esse treino antes da hora, que gira em torno de 18 meses de vida, com atitudes de cobrança e angústia por resultados, ou ser muito negligente, que, por não estar atenta ao fato de que a criança precisa de estímulos e de ser colocada em um ambiente confortável, para entender todo esse treino aparentemente simples, não ajuda a compreender o momento pelo qual passa. O treino do peniquinho precisa de uma situação de tranquilidade e durará vários meses; nesse tempo, o cuidador da criança precisará criar um ambiente confortável psicologicamente. Então, a criança logo associa que o que sai de dentro dela é sua produção, mesmo não sendo perfumado.

Comportamentos futuros, quando já adulto e estiver trabalhando, agora com maior controle de seus processos (não mais o dos esfíncteres), serão influenciados se essa fase da vida foi mais ou menos harmoniosa. Vemos então adultos lidando com dinheiro com sovinice (retenção), enquanto outros com desprezo pelo que produzem, não valorizando seu trabalho. Em outras palavras, podemos ter um adulto ansioso, que irá apressar o processo, começando antes do momento indicado ou cobrando resultados precoces. Outros tenderão à negligência, pois não tiveram despertados um ritmo, uma rotina.

PARTE II

número não fala, mas apenas aponta o evidente, é um bom treino para acertos de pontos de vista diferentes.

Há de se considerar primeiro o envolvimento do casal sobre o assunto, a começar pela festa de casamento, viagem de lua de mel, compra da casa própria, cursos de especialização, o número de filhos que o casal pretende ter, a composição da renda familiar e como farão reservas para aposentadoria, troca dos carros etc. Conversar sobre esses pontos e acertar, previamente, como será o dia a dia facilita muito na administração da casa, além de trazer tranquilidade para os membros, uma vez que eles podem ver os frutos de seu empenho profissional sendo transformados em benefícios para cada um e, logicamente, para a família.

Até combinar como será a educação financeira dos filhos é importante. Muitos casais não têm clareza sobre o assunto e deixam as crianças e os jovens, consequentemente, sem noção de organização para se estruturar financeiramente na vida adulta, inclusive sem saber lidar com as dificuldades que, muitas vezes, a vida traz consigo, como, por exemplo, a perda de um emprego. Para isso, é aconselhável iniciar a educação financeira pelo uso progressivo da mesada e, depois, ir ensinando a eles a noção de custos.

Quando maiores, já na pré-adolescência, ensine-os a realizar planejamento financeiro, fazendo com eles planilhas de despesas da casa, com os gastos fixos (prestação da casa, condomínio, luz, água e outros) e os variáveis (comer fora de casa, lazer, viagens etc.). Converta em unidades: para pagar a prestação da casa, o casal precisa trabalhar x dias por mês. Some o salário dos dois e divida pela prestação. Com isso, vai-se estruturando uma escala de valores. Dessa forma, o casal não está tratando apenas de dinheiro, mas está priorizando o que a família considera importante e decidindo onde investir a energia que produz. As crianças poderão aprender quanto custa o estilo de vida que levam: escola, atividades extracurriculares, passeios de fim de semana, férias, celular etc.

De volta à mesada. Ensine os filhos, desde pequenos, a separarem dez por cento para investimento; dessa maneira, vão ter

83

CASAMENTO HOJE

bastante treino em poupança, e, no futuro, quando adultos, a chance de serem bons investidores. É imprescindível diferenciar mesada de pequenas ajudas dos menores nos serviços de casa, como: aguar as plantas, arrumar o próprio quarto, colocar o lixo para fora de casa, lavar as louças. Esses comportamentos não devem ser remunerados. O reforço deles estará no campo emocional (QE: quociente emocional) de harmonia e cooperação para o bem comum da família.

É importante que a família discuta o que será feito com o dinheiro; é fundamental que as escolhas sejam partilhadas, que todos tenham noção das necessidades comuns e individuais, e, a partir do momento em que for decidido cada um dos investimentos, eles sejam respeitados e haja envolvimento de todos para que se consiga o objetivo traçado. As maiores discussões são originadas pelo não acolhimento do desejo do outro e, quando se planeja, pode-se ter jogo de cintura, de forma que todos, mais cedo ou mais tarde, sintam-se acolhidos.

3º tema: As crianças

A premissa usada antigamente de que, para se criar bem um filho, era necessário ter muitos filhos, fica difícil de ser seguida hoje, no século XXI. A maioria das pessoas na era industrial foi para cidades populosas. As mulheres foram para as escolas e, depois, para o trabalho, a fim de compor a renda familiar, quando não são elas mesmas as próprias chefes de família. Quando as famílias tinham muitos filhos, estes construíam uma espécie de comunidade hierarquicamente de iguais: brincavam, iam para a escola juntos, os mais velhos ajudavam os mais novos, brigavam, competiam etc., desenvolviam sociabilidade e não sobrecarregavam os pais com tantas carências, como vemos hoje.

Atualmente, as crianças convivem intensamente com os adultos dentro de casa. Muitos são filhos únicos e estabelecem com os pais uma relação desigual: tem sido mais fácil a criança imitar a vida do adulto do que vice-versa. Dessa forma, crianças chama-

PARTE II

das "precoces" podem se tornar carentes. Não estão passando pelas fases de desenvolvimento pueril no tempo suficiente para amadurecerem. Quando estão na creche, há, por parte dos cuidadores, uma vigilância muito próxima. Além disso, costumam estar agrupadas pela faixa etária, inclusive saem para o recreio ou dividem o mesmo espaço sempre com crianças da mesma idade. Tempos atrás, em casa, a mãe, ocupada com os afazeres domésticos, deixava-os mais livres no quintal.

Não estamos aqui preconizando que se volte no tempo... não é mais possível. O mundo evolui. Por isso são necessárias outras estratégias para conseguirmos resultados melhores, uma vez que nossas crianças não estão sendo preparadas para humanizar-se. Chamamos atenção para esses fatos, pois geram mães com sentimento de culpa maior, as quais tentam compensar o filho dando excessiva atenção a ele, isto é, colocando mais sua "libido", energia de vida, nele. O pai, então, que já sente ciúme no período de aleitamento, continuará a senti-lo.

Desse modo, a mãe moderna, além de toda a organização que tem em sua jornada dupla, deve estar atenta a isso. Dividir as tarefas domésticas com o marido é de grande utilidade. A resistência inicial dele será quebrada quando vir que, com a divisão, sobra mais tempo para curtirem um ao outro. Entretanto, há exceções. Já mencionamos o caso da esposa que teve de abandonar a carreira para cuidar do filho nascido com deficiência. Um fato como esse é, na maioria das vezes, fator disruptivo do casamento. Além da energia da mulher ir quase totalmente para a criança, muitos homens não conseguem ajudar, pois é difícil confrontar-se com tal dificuldade todos os dias. E, no fundo, a frase "Nosso amor não produziu bons frutos" não se cala. Inicialmente, um joga a culpa no outro; e, em seguida, é grande o número de casais que separam nessas circunstâncias. Os que ficam juntos precisam de muito apoio da família e da comunidade.

Em maior ou menor grau, existe hoje um aumento dos conflitos entre família e escola, quando a criança precisa de ajuda, seja no processo de aprendizagem ou no processo psicológico.

CASAMENTO HOJE

Não temos boas notícias para os professores: cada vez mais eles terão de dar conta. As famílias não estão conseguindo; como o processo é rápido demais – com quinze anos já serão adultos –, não haverá tempo hábil para eles. É mais fácil o professor estudar e melhorar a escola, com equipes multiprofissionais – a começar por coisas simples como postura física nas carteiras, uso de celular na escola, obediência em filas, uso do banheiro, prevenção de bullying e tudo o que diz respeito tanto a benefícios individuais quanto coletivos – do que os pais "acordarem". Pois, quando o fizerem, será tarde para a criança.

4º tema: O perdão

> *"A violência e o adultério caem como uma montanha em uma criança."*
> (Papa Francisco)

Um grande exercício nessa terceira fase do casamento é o do perdão. Ele é o fiel da balança entre dar e receber. Perdão é um dos temas que sempre permeiam nossos relacionamentos com filhos, pais, amigos, chefes, colegas, vizinhos. Mas, aqui, interessa-nos o perdão ao cônjuge e também a nós mesmos; além disso, vamos abordar a falta maior que é a infidelidade revelada.

Antes de iniciarmos o grupo de casais, tínhamos a impressão de que o assunto prevalente seria o adultério, mas a vivência nos mostrou que a falta de entrosamento, brigas, violências verbais, por meio de palavras mal ditas e malditas, eram comuns a todos. Quando se criam essas situações disruptivas, isto é, algo que irrompe em uma estrutura para transformar sua essência, elas costumam ser destruidoras.

Em relação ao adultério é sempre bom defini-lo antes de começarmos a abordar o assunto. Para isso, uma analogia bastante plausível seria compará-lo à mistura de dois elementos de natureza similar, por exemplo, água no vinho, álcool na gasolina, ou trazer em nosso coração outra pessoa. Em crescimento, temos o adultério virtual, que acontece por meio das novas tecnologias,

PARTE II

o adultério sem muito compromisso, que acontece ao dizermos: "Fulano está de caso com sicrano", ou com amante, em cuja palavra está embutida a palavra amor. Em qualquer situação, estaremos infringindo o mandamento "Não cometerás adultério", sem pormenores ou desculpas.

Nessa situação, temos dois episódios: o primeiro, em que o parceiro já está com a decisão tomada de romper o relacionamento, pois o nível de conflito interno foi dele e a outra parte vai passar um processo de luto (pois sempre é uma perda) pelo fim do casamento. Na segunda, o parceiro adúltero não deseja romper e fica para o outro a decisão de continuar ou não o casamento. Sempre é necessário o perdão, mas, nesse segundo caso, além da dor, ainda há o conflito da decisão de continuar juntos. O processo do perdão é interno. Perdão vem do latim: *perdonet / perdonãre*, que significa *per*: "total, completo", acrescido de *donare*: "dar, entregar, doar". Dar algo a si mesmo.

Vamos compartilhar, a seguir, a visão sistêmica do alemão Bert Hellinger sobre o assunto.

Não se deve esperar pedido de perdão para iniciar esse processo. Aliás, o pedido de perdão nem deve ser feito. Além de machucar alguém, você ainda o sobrecarrega com essa exigência, quase verbalizando: "Vejam, eu sou bonzinho, pedi perdão e ele não quer consenti-lo". Vira-se o jogo; de algoz passa-se à vítima.

Se foi você quem errou e quer continuar no relacionamento, passe pelas três etapas:

1. Reconheça sinceramente o erro;
2. Faça o firme propósito de não repeti-lo;
3. Minimize ao máximo as consequências. Porém existem situações que são irreversíveis, como a morte de alguém envolvido.

Quando alguém sofre o adultério, precisa iniciar um processo de perdão, que não significa necessariamente ficar com a pessoa em questão. Normalmente, começa com um afastamento ou retraimento, necessários para que se consiga enxergar melhor toda a situação, incluindo a própria parcela de contribuição ao evento, quem e qual o grau do envolvimento da terceira pessoa

CASAMENTO HOJE

trazida para a relação. Além disso, há de se considerar todo o contexto, como: em que fase o casal está, existem filhos, carreiras envolvidas. Vale lembrar a máxima: todos merecem uma segunda chance, em qualquer situação, entretanto nunca escutei sobre uma terceira chance. Desse modo, recidivas devem ser olhadas com maior atenção, principalmente se os filhos ficarem muito expostos a comportamentos negativos altamente expressos (brigas, agressões verbais ou corporais).

O processo é longo e íntimo.

A traição quase sempre é justificada pelo chavão "Está procurando fora o que não tem dentro de casa". Como sempre nosso olhar corre fácil para o que está do lado de fora. Considero a traição um estágio de vingança. Explico: o parceiro causa no outro uma fenda narcísica por algo que o outro inveja nele. Pode ser porque o outro ganhe mais, por ser mais popular, mais bonito, mais inteligente, mais bem-sucedido, mas feliz, mais querido pelo restante da família ou respeitado pelas pessoas. Por não ser tão carente como o cônjuge (traidor).

Além da traição, pode ocorrer uma evolução direcionada à agressão e até o feminicídio, chegando ao extremo de eliminar o agente causador da dor narcísica. Nasce na inveja, cresce no narcisismo e materializa-se na vingança. Dá para entender por que as atuais ações contra o feminicídio não estão conseguindo os resultados esperados.

Dizem que vaso de cristal ou de vidro quando quebra não adianta colar. E é verdade. Mas cristal ou vidro são transparentes, e o casamento está mais para um vaso de barro. Quebra, mas, ao molhar-se a terra novamente (até com lágrimas), é possível fazer outro vaso; não são translúcidos, pois sempre guardam algo, que, com o tempo, trazem à luz, assim como fomos feitos também de barro e nos esforçamos para ficarmos cada vez mais à semelhança de Deus, com sua Luz.

Vou ilustrar com uma história:

Maria acordou a uma e meia da madrugada e viu que o outro lado da cama estava vazio. Desde o dia em que se conheceram,

PARTE II

passaram-se trinta e quatro anos que ela acreditou serem de companheirismo, cumplicidade, fidelidade e, permeando tudo, o amor. A calada da noite calava a covardia.

Estava inaugurada uma dor que os acompanharia processualmente, por longo tempo, e com consequências futuras familiares, até eternamente, se não cuidada. De imediato, ela compreendeu o "O que ligares na terra...". A eternidade sempre a amedrontou e, intuitivamente, ela avaliou a delicadeza, o fio tênue, que separa o céu do inferno, e o livre-arbítrio para se lançar em um ou em outro. Pedro teve a hombridade de não pedir perdão. Reconheceu o erro, prometeu não repetir e corrigiu as situações envolvidas. O perdão é sempre processual de ambos os lados e esses aspectos caberiam a ele administrar. O tempo falaria de êxito.

Duas amigas dela haviam passado por situações difíceis: o marido de uma foi à esquina comprar cigarro, saiu com a roupa do corpo e os documentos da carteira para não mais voltar; o da outra, em véspera de feriado religioso, aprontou as malas e disse que moraria com outra pessoa, sem nunca haver dado uma boa pista de que algo diferente estivesse acontecendo. Não era esse o caso.

Nas mãos dela estava o destino de seu casamento: ela havia construído muito do que hoje era – filhos, profissão, relacionamentos, parentes e amigos, patrimônio, e os netos já avizinhavam. Destruir, aparentemente, seria mais fácil. Teve o respeito, adquirido por muitos anos, de que ninguém que soube do ocorrido palpitasse sobre sua decisão. Só uma amiga sugeriu o troco. Inadmissível envolver ainda uma quarta pessoa nesse turbilhão; é muita responsabilidade para com os sentimentos de alguém que você nem sabe, no momento, o nome.

Construir um novo casamento pareceu a maior chance de felicidade futura. Se fosse começar tudo de novo com outro, teria de passar pelas três fases novamente. Retrocesso. Ficou lá no fundo a sensação de impotência, pois, mesmo essa situação de reconstrução só foi possível porque Pedro quis ficar; o ponto inicial da decisão não fora dela.

89

CASAMENTO HOJE

> *"O mundo desabou. Meu casamento estava por um fio. Mas apareceu uma luz no final do túnel. Penso que na vida, às vezes, as coisas acontecem para pausarmos...Como disse no início, a luz no final do túnel tomou proporções, clareou. Então entendi que, para que tudo desse certo como casal, bastava querermos. Foi preciso dar passos firmes e lentos. Os dias passaram, e sentimos o crescimento nas decisões, no perdão, na relação. Quando você se permite parar e refletir sobre sua existência, seu papel na família, na sociedade, você já não é o mesmo. Querer fazer tudo diferente para o bem comum, para resgatar frustrações, levou-nos ao crescimento e amadurecimento espiritual, a enxergar o outro com suas necessidades individuais. Viver em função de fazer o outro feliz, a essência do AMOR. Vivenciamos que a mudança do outro depende necessariamente de nossa mudança. Como tudo na vida, demanda tempo, carinho, cuidado e perseverança..."*
>
> Depoimento M.Y. C.C.

Todos os casais, citados anteriormente, tiveram caminhos diferentes na elaboração do perdão. Focamos mais o caso de Maria e Pedro, porque resolveram permanecer juntos.

Maria norteou-se muito pelo que havia escutado de seu avô paterno, quando, já aos oitenta e oito anos, ficou viúvo de um casamento de setenta anos. Com seus avós, havia acontecido algo muito parecido e na mesma faixa de idade, mais ou menos quando eles tinham sessenta anos de vida. Viveram juntos quase trinta anos mais, e ele lamentava para sua neta que sua avó nunca lhe havia perdoado.

Maria então compreendeu o "Honrarás teu pai e tua mãe". O mandamento é claro, não pede que você ame seus pais, isso já está no "Amarás teu próximo". Honrar é ir além: é acordar todo dia e tentar ser uma pessoa melhor que no dia anterior, cuidar deles na velhice ou na doença e reconhecer as dores que passaram, aprendendo com elas e não as repetindo.

Pedro e Maria viveriam, possivelmente, também mais trinta anos juntos e poderiam chegar ao leito de morte com assuntos bem mais resolvidos. Maria não queria ver a cena repetida com seu marido, dizendo a mesma frase: "Sua avó não me perdoou" para sua neta. Isso é prosperidade da alma familiar.

PARTE II

Ampliando o conceito do perdão, transportamo-nos para a casa do filho pródigo, onde é retratado, biblicamente, o amor do Pai Eterno. A Ele sim podemos pedir perdão, pois não está magoado conosco, com nosso afastamento; não é frágil e nós não o fragilizamos. Está sempre olhando o horizonte, esperando nossa volta e nosso pedido de clemência. Não reconhece nossos andrajos, nosso cheiro de chiqueiro e nossos pés descalços. Reconhece nossa realeza de filhos: manda nos banhar, cobrir com vestes de linho, cingir nossos pés de sandálias, símbolo de nossa autoridade filial, e ainda renova nossa aliança, colocando-nos um anel. É esta a meta a seguir: tratar assim nossos agressores, tanto no casamento, como em situações extremas, como, por exemplo, perdoar o assassino de um filho.

O filho, hora nenhuma, indaga se o pai está vivo ou morto. Ele volta na certeza de lá encontrar um Pai Vivo, um Deus Vivo, com as portas da Misericórdia Divina abertas.

O casamento pode ser um caminho longo de volta a Deus e, assim, um caminho de santidade. No começo do livro, definimos família como um conjunto de pessoas que se unem, através dos séculos, para todas se ajudarem no caminho de volta a Deus. Nessa situação de arrependimento, não se deixam pessoas pelo caminho. Porém, se não houver retratação, não é aconselhável continuar em situação de se expor e também aos filhos a mais agressões. O perdão sempre deve ser dado, mesmo se você não conviver mais com a pessoa.

O exercício do perdão nessa fase é um bom treino para futuramente se passar melhor por uma doença, uma situação incapacitante, uma separação ou um luto. Essas situações têm fases sequenciais de maior ou menor duração e intensidade, conforme a pessoa ou a gravidade.

A psiquiatra Elisabeth Kubler-Ross enumera cinco estágios pelos quais passamos quando recebemos notícias ruins: **negação, revolta, negociação, depressão e aceitação**. Gosto de acrescentar, ainda, mais um estágio, a **sublimação**, que significa fazer algo bom de tudo que aprendeu para ajudar outras pessoas

CASAMENTO HOJE

na mesma situação. "Dar amor é a experiência real – no próprio sentido da palavra – porque você se comporta como um imperador. Implorar amor é uma experiência de mendigo. Você escolhe" (Osho).

Muitos se perguntam sobre os motivos da infidelidade e quem trai mais. O resumo do extenso trabalho de Miriam Goldenberg, antropóloga, traz-nos duas informações: sessenta por cento dos homens e quarenta por cento das mulheres já foram infiéis, apesar de colocarem a fidelidade como item número um nos valores de casamento.

A outra informação é sobre a motivação alegada: os homens dizem que desejam um relacionamento mais leve e mais alegre; já as mulheres por vingança de não serem valorizadas, desejadas ou amadas.

Para os homens, indicamos a volta a algumas páginas deste capítulo - 1º Tema: Sexo - para relerem sobre "estar ao lado delas antes de quererem estar por cima ou por baixo".

A vingança leva à cegueira, pois impera a "lei do talião", termo literal referente a um código de justiça que significa "olho por olho, dente por dente". Ressalta-se que, normalmente, o cônjuge traído introduz na relação uma quarta pessoa. E, se já está difícil em trio...

Quanto a sentir-se amada e desejada, no caso das mulheres, importante discorrer sobre a opinião de que amar e desejar nos enriquece, pois os sentimentos são nossos, mas, querer ser amados e desejados coloca-nos à mercê de uma segunda pessoa, o que nos enfraquece. No reino animal, o mais fraco torna-se "presa fácil", mais lento, mais vulnerável ao predador. Uma situação útil ao bando que escapou, pois terá descedentes mais fortes, consequentemente se fortalecendo. Já nas relações humanas, o bando (a família) fica mais fraco, pois vai desestruturar ainda mais o casal e, consequentemente, a prole, dependendo da faixa etária, sofrerá muito com essa instabilidade, mesmo que temporária.

Finalmente, cabe ainda uma última reflexão sobre o perdão: aonde, afinal, ele nos leva?

PARTE II

Indagado pelo Apóstolo Pedro "Senhor, quantas vezes errará contra mim o meu irmão e o perdoarei? Até sete vezes?". Diz-lhe Jesus: "Não te digo [para perdoares] até sete vezes, mas até setenta vezes sete..." (Mt 18,21-22).[3] Cristo nos aponta com essa resposta, primeiramente, para a extensão do processo do perdão. Já vimos pessoas que têm a bênção divina de conseguir perdoar como uma graça de Deus, quase instantaneamente. Entretanto o que mais acompanhamos foram processos longos, em que os fatos negativos inúmeras vezes voltavam a dominar as emoções e os pensamentos e todos eles precisaram ser elaborados. Mas, uma vez conseguido, abriu-se o caminho da santidade para conquistas em outras áreas.

Explicando melhor, quem nos dá as pistas é o número sete. Estudando o simbolismo desse número, vamos qualificá-lo como relação viva entre o divino e o humano. É o número da perfeição, da criação, pois integra os dois mundos: o espiritual (trindade) e o humano (os quatro elementos: água, terra, fogo e ar); a união da terra e do céu, do bem e do mal. Caminho para o controle do espírito sobre a matéria. Começamos pelas petições do Pai-nosso. Observamos que as três primeiras são dirigidas a Deus: santificado seja vosso nome, venha a nós o vosso reino, seja feita vossa vontade, assim na terra como no céu; enquanto que as quatro últimas são dirigidas ao homem: o pão nosso de cada dia nos dai hoje, perdoai as nossas ofensas, assim como perdoamos a quem nos tem ofendido, e não nos deixei cair em tentação, mas livrai-nos do mal. Amém.

Continuando, entenderemos mais as sutilezas do número sete. São sete os "pecados capitais". Os três primeiros referentes ao espírito: soberba, ira e inveja. Os quatro últimos ao corpo: luxúria, gula, avareza e preguiça. Passamos para as sete "virtudes" que contrapõem os pecados capitais. As três virtudes do espírito: humildade, paciência e bondade. E as quatro do corpo: castidade, temperança, caridade (autossacrifício) e diligência

---

[3] Bíblia, volume 1: Novo Testamento: os quatro Evangelhos / traduzido do grego por Frederico Lourenço – 1. ed. – São Paulo: Cia das Letras, 2017.

CASAMENTO HOJE

(persistência). Finalizando sobre os sacramentos. Três da vida espiritual: batizado, confirmação ou crisma e eucaristia. E quatro da vida mundana: penitência, ordem, matrimônio e extrema unção.

O perdão é o maior exercício de integração das dimensões espiritual e material e o matrimônio propicia que tenhamos alguém muito próximo de nós para que isso aconteça.

4ª Fase: Reintegração

"É hora de: 'achar ninho, nem que seja um no peito do outro.'"
(Emicida na canção *Passarinhos*)

"Quanto mais o tempo passa, mais aumenta sua graça."
(Thiago Iorc na canção Amei te Ver)

Na roça, é a hora da colheita. Ela é tão importante que, no mês de junho, quando vários legumes e grãos são colhidos, temos as festas juninas, associando a colheita e a proteção dos santos. Semear é facultativo; a colheita é obrigatória.

Gostamos de chamar essa fase de Tempo de Amor. Geralmente, no início dela, os filhos estão se formando, casando, ou saindo de casa. O casal volta a ficar só. Chamam de ninho vazio, que, no primeiro momento, traz certo desconforto de papéis. Mesa de refeições sempre cheia não mais; levá-los à escola, ao futebol, à dança, também não. Se o ninho está vazio, perdeu a finalidade. Que tal desmanchar o ninho?

Hoje, está mais fácil essa fase, pois a mulher geralmente associou uma profissão aos cuidados da família, e o homem moderno está mais em contato com seus sentimentos, mais treinado a fazer partilhas e tornar-se companheiro da parceira. Alguns casais continuam trabalhando ainda por vários anos, e isso favorece para que se mantenham ativos.

A menopausa e a andropausa, com suas quedas de hormônios, de cabelos etc., aparecem, e lidar com isso exige parcerias. O olhar para o funcionamento do próprio corpo atrai a atenção, antes tão voltada aos curativos e às febres dos pequenos. Agora

PARTE II

quem vai, sistematicamente, aos retornos e controles médicos é o casal. É o outubro rosa, novembro azul etc. Se as variações hormonais da adolescência e todas as alterações psicológicas, pelas quais os jovens passam, ocorreram, na maioria das vezes, em momentos de vidas separadas, no núcleo de sua família de origem, nesse momento as variações decorrentes do climatério e andropausa ocorrerão dentro da conjugabilidade que estabeleceram.

O aprendizado sobre TPM já não traz resultados, a vida nos apresenta uma realidade em que os dois terão mudanças tanto físicas quanto emocionais. Alguns sintomas dos dois sexos até serão semelhantes: redução da libido, irritabilidade, cansaço, depressão, ansiedade, ondas de calor, suores noturnos, dificuldade de concentração e sua consequência na memória, queda de cabelos, ganho de peso (gordura abdominal), palpitações, alteração da distribuição dos pelos, ossos fracos pela osteoporose.

As mulheres podem ter distúrbios de sono, alterações de humor, secura vaginal, dor nas articulações, pele seca, unhas fracas, dor nas mamas, infecção urinária, desequilíbrios, tonturas e, ainda, sensação de barriga inchada.

Pelo tamanho da lista, percebe-se que não é aconselhável desconhecer esse assunto nem tampouco negligenciar ajuda para diagnósticos e tratamentos, que, se não curam, suavizam os sintomas e melhoram a vida a dois.

O climatério, que corresponde, estatisticamente, ao período dos quarenta aos sessenta e cinco anos da mulher, ocorre pela diminuição das funções ovarianas e engloba o período de três a sete anos antes da última menstruação (menopausa) e os quinze anos seguintes. É importante o acompanhamento do médico ginecologista nesse período.

Já a andropausa, nos homens, menos difundida que o climatério, mas não menos importante, não tem um divisor de águas, ocorre de maneira lenta, após os quarenta anos e nas décadas seguintes. O fato de ela ser assim favorece que os sintomas sejam confundidos com excesso de trabalho, esgotamento nervoso

CASAMENTO HOJE

etc., passando despercebida e sendo, por consequência, negligenciada. É detectada por meio de exames de sangue, com dosagem de testosterona e outros índices. Os homens devem, após os quarenta, procurar um médico urologista para acompanhar esses níveis e tratar, se necessário.

De todos os sintomas, o que mais afeta o relacionamento do casal é o de ordem sexual: poderá haver cobrança por parte da mulher, o homem poderá buscar outra parceira atribuindo seus problemas à esposa. Portanto o conhecimento sobre o envelhecimento masculino também é importante. A andropausa ocorre, geralmente, no final da fase três ou no início da fase quatro do casamento. Saber que o prazer é o mesmo, o que muda é o espaço entre a busca do prazer, pode aliviar a cobrança e insegurança da parceira.

Simplificar a vida é imperativo, a começar por diminuir o tamanho das panelas e frigideiras, voltar a fazer tudo a dois: passeios, viagens, visitas a amigos, assistir a filmes na televisão; e agora com essa mania de séries pagas tem-se lazer sempre.

Além disso, é hora de executar aqueles sonhos que, por longo tempo, foram deixados de lado na gavetinha do "quando eu tiver tempo para mim": aquele curso de idioma, de arte, de culinária, de dança, o aprendizado de um instrumento musical, o trabalho como voluntariado, tudo poderá ser resgatado.

Você já disse a que veio ao mundo, já demonstrou seus talentos, agora, sem tanta ansiedade, vai tomar posse de tudo que construiu: amigos, carreira, filhos. É um tempo de realização e de se sentir enriquecido por elas, com serenidade, sem ostentações.

É hora de voltar a ser gregário e ir além do grupo familiar: o grupo de oração, de baralho, de amigos, de degustar vinho, de academia, de dança etc. Se fomos negligentes, ainda há tempo de retomar. Nossa longevidade aumenta a passos largos, o que nos dá a chance de reintegrar ou reconstruir.

Esta é a boa notícia: vamos ter tempo para nos tornarmos pessoas melhores!

Tudo agora é um pelo outro: as alegrias e as dores. Estas poderão vir também em forma de doença, até mesmo de um filho

PARTE II

adulto. Se até na terceira fase a vida era de mãos dadas, agora, para apoiar o outro, até mesmo para uma caminhada em calçadas desniveladas, a vida passa a ser de braços dados.

Foi minha mãe que me ensinou sobre as fases da vida. Ela dizia: "até os vinte anos, o tempo não passava, nunca chegava a hora de ir aos bailes, namorar, entrar em um filme para adultos. Depois, dos vinte aos cinquenta anos, na fase fértil, estive tão absorta que, quando abri os olhos, já tinha cinquenta anos. Aí passei a ter todo o tempo do mundo". Faleceu trinta e três anos depois.

Não podemos deixar de lembrar que alguns casais, nessa fase, terminam o casamento, pois estavam juntos, na maioria das vezes, sem se darem conta, para criar a prole, não pelo prazer e pela alegria de estarem juntos, de contar um com o outro.

Dos quatro filhos que criamos, educamos, formamos e casamos (muito com a ajuda deles próprios), três moram em nossa cidade. Em casa, nos almoços de sábado e domingo, como podem somar, somos doze. Tem almoço pronto para todos. Ninguém é obrigado a vir se tiver outro passeio, caso desejam ir à casa de amigos, ou simplesmente se quiserem ficar em sua casa.

Podem deixar os netos conosco e viajarem a sós apenas depois da retirada da fralda, não pela fralda em si, mas porque, só após esse período, a criança tem certeza do retorno paterno e materno. Frequentemente, viajamos todos juntos. Procuro ir à casa deles só no terceiro convite ou para cuidar dos *pets* quando viajam.

Centralizamos a convivência mais em nossa casa, principalmente em função dos primos. Lembram quando dissemos que hoje as proles pequenas precisam mais dos parentes? Casa dos avós é campo neutro, todos têm direitos iguais.

O filho e a nora da capital voltam umas quatro vezes ao ano. Nós aproveitamos congressos e simpósios lá para ficar com eles e também passamos pelo menos uma parte das férias em conjunto.

Qualquer neto pode contar conosco para uma eventual substituição para levar às atividades extracurriculares. Desse modo, estamos sempre juntos, mas, ao mesmo tempo, cada um respeita

CASAMENTO HOJE

o espaço do outro, o que garante que cada um guarde sua intimidade – seja na individualidade, ou na família.

Sobre netos, temos um sentimento que parece não ser unânime: nada substitui a maternidade e paternidade, estamos presos a nossa herança genética (cinquenta por cento do pai e cinquenta por cento da mãe de cada filho) andando por aí. Os netos não são responsabilidade nossa, a não ser pela ausência permanente dos pais; aí passam a ser filhos. O que nos atraía no projeto de sermos pais era exatamente o "dar conta do recado de Deus".

Em uma ida ao supermercado, uma senhora que pesava os vegetais dizia a um cliente: "Trabalho de oito a dez horas aqui e, quando chego a casa, apesar de ter três televisores, nenhum é meu. Cada neto e mais meu filho querem assistir a um programa diferente". Pareceu menos uma queixa do que um orgulho de estar levando a vida assim. Isso lembra a divisão das partes de um frango, quando éramos pequenos os pais escolhiam, agora são os filhos e os netos. Nunca vamos comer do que gostamos? Que tipo de netos estamos ajudando nossos filhos a criar?

Para concluir o que dissemos sobre as quatro primeiras fases do casamento, colocamos uma comparação entre o amor e o mar. Utilizamos a lembrança de nossos banhos de mar, pois a associação de imagens e conceitos serve para a fixação do aprendizado.

Imagine-se à beira-mar, em uma praia, você e seu parceiro passeando de mãos dadas, com os pés na água, procurando conchinhas e estrelas do mar. Depois de um tempo, resolvem entrar no mar para nadar além da área de arrebentação das ondas. Essa é análoga à primeira fase: o enamoramento. Inicialmente, vão de mãos dadas, mas, devido às ondas já baterem na altura do peito, vocês têm de soltar as mãos para não caírem e continuar adentrando. Aqui, estão na segunda fase: a do desencanto. O medo e a insegurança aparecem, mas um de vocês, ou os dois, aprendem que, se mergulharem quando a onda estiver próxima, já não sentirão arrebentar na face. É a terceira fase: a elaboração. Assim, de onda em onda, chegam à calmaria do mar pós-rebentação. Agora podem nadar tranquilamente, brincar, jogar água um no ou-

PARTE II

tro, pois já estão na quarta fase: a da reintegração. Então, como presente dos céus, aparecem duas pranchas de surf, e o lúdico aumenta, vocês podem ir até a praia de novo, agora por cima das ondas, aproveitando-se delas para impulsionar a energia de vida.

> *"Nesses encontros conhecemos outros casais que também tinham certas diferenças entre si, porém, com a experiência e dedicação dos doutores, fomos trilhando um novo caminho e passamos a conhecer melhor um ao outro. Por meio desse grupo, podemos afirmar que ganhamos mais confiança para viver melhor juntos e também construímos um grupo de amigos que estão sempre dispostos a ajudar; sabemos que podemos contar com isso pelo resto de nossa vida."*
>
> Depoimento casal E.R.C. e C.T.G.C.

5ª Fase: Arremate

O título escolhido para essa fase vem da prática da costura ou do bordado. Lembram-se do "conto" no início do livro "Direito e Avesso"? Então, sempre que a linha termina ou vamos mudar a cor do bordado, damos um nó no trabalho feito.

Confessamos não possuirmos nenhuma experiência pessoal nessa quinta fase, mas acompanhamos pais, irmãos, amigos e pacientes, cuja importância está no arremate, porque sem nó o bordado pode se desfazer, e tudo que vivemos pode ser invalidado de diversas maneiras. Tanto o luto da viuvez quanto as angústias do divórcio devem ser acolhidos e trabalhados.

Sobre o luto, destacamos a frase "Até que a morte os separe". Essa colocação define uma separação entre o casal que ocorreu apenas fisicamente. Nossa interpretação é que o casamento está dentro de seu coração e de sua mente. Sendo necessário achar um lugar confortável, sem tristezas e saudosismo. Quando o cônjuge sobrevivente imagina que o casamento acabou, se sentirá diminuído, não sendo positivo para ele. O cônjuge ausente fisicamente terá sua representação por meio dos filhos, netos ou pelo amor compartilhado.

Isso não impede que possa ocorrer outro casamento, até mesmo com um amor maior. Aliás, esta é a premissa: quanto melhor

99

CASAMENTO HOJE

alguém estiver em relação ao casamento em que ficou viúvo, melhor estará no próximo. Isso vai ajudar o período de solidão. O irmão do André, músico e aposentado, viúvo recentemente, chama essa fase de "clave de só". Ficou quatro meses sem abrir o piano, para a clave de sol entrar outra vez em sua alma. Estava dando os nós necessários. Depois disso, durante um almoço de família, relatou-nos: "Acordei com a música *Granada* na cabeça, toda hora a assoviava, então fui ao piano, toquei e parei o assovio".

Antes, pensávamos que quem ficava era quem tinha mais a elaborar. Percebemos que quem fica tem a oportunidade de elaborar a finalização desse amor, de ficar com a agulha, com a linha e com o pano do bordado.

Já dissemos, no 4º tema sobre o perdão, e vale aqui, também, sobre nossas reações a perdas: negação, raiva, depressão, elaboração e aceitação. Acrescentamos mais uma: a sublimação. Essas etapas podem ter maior ou menor duração dependendo da fase do casamento em que ocorreu: os filhos deixados, o tipo de morte (mais ou menos violenta, a duração da doença) e mesmo o estado de saúde física e emocional do viúvo.

Uma pergunta frequente nessa fase é: "Até quando dura o luto?" Quem a faz geralmente está próximo de uma pessoa que não está vencendo as etapas descritas. Não existe regra, nem quanto à sequência delas, nem quanto à duração. Caso o familiar ou amigo esteja passando por um processo muito doloroso, por um longo tempo (mais de um ano), além da ajuda que os próximos ao enlutado podem dar, principalmente em relação ao amor e à segurança afetiva, pode ser que haja necessidade de levar a pessoa a um especialista.

Lembrem-se: estamos falando do luto no casamento e não da perda de filhos. Quando isso acontece na vida de um casal, abala-o muito e, às vezes, é motivo de rompimento do casamento. Mas isso é assunto para outro livro.

Em qualquer luto vale lembrar: os homens ainda não estão treinados para falarem de seus sentimentos, então precisam ser incentivados por quem está próximo; e as mulheres, que se expressam mais, devem ser ouvidas com atenção.

PARTE II

Finalizando, a postura psicanalítica enfoca o luto, não por aquela pessoa ter perdido a vida, mas pelas perdas que temos com a morte: convivência, trocas de afeto, alegrias etc. Em Eclesiástico 38,16-24,[4] a moderação no luto é tratada; inclusive, o texto alerta sobre a depressão.

Moderação no luto

Filho, derrama lágrimas sobre um morto,
e chora como um homem que sofreu cruelmente.
Sepulta seu corpo segundo o costume,
e não descuides de sua sepultura.
Chora-o amargamente
durante um dia, por causa da opinião pública,
e depois consola-te de tua tristeza;
toma luto segundo o merecimento da pessoa,
um dia ou dois, para evitar as más palavras.
Pois a tristeza apressa a morte, tira o vigor,
e o desgosto do coração faz inclinar a cabeça.
A tristeza permanece quando (o corpo) é levado;
e a vida do pobre é o espelho de seu coração.
Não entregues teu coração à tristeza,
mas afasta-a e lembra-te do teu fim.
Não te esqueças dele, porque não há retorno;
de nada lhe servirás e só causarás dano a ti mesmo.
Lembra-te da sentença que me foi dada: a tua será igual;
ontem para mim, hoje para ti.
Na paz em que o morto entrou, deixa repousar a
sua memória,
e conforta-o no momento em que exalar o último suspiro.

A próxima abordagem diz respeito ao divórcio. Monsenhor Jonas Abib, fundador da Comunidade Canção Nova, a respeito

---

[4] Bíblia Sagrada. Tradução dos Originais Monges de Maredsous (bélgica) pelo Centro Bíblico Católico, 103. ed. Ed. Ave-Maria. 1996, p. 917.

CASAMENTO HOJE

do tema, resume-o com a seguinte frase: "Unir uma ferida com outra". Multiplicam-se as mágoas, palavras mal ditas, que se transformam em malditas, ideias vingativas e choro, muito choro. O nome já traz, na raiz, a divisão. Dividem-se os móveis, talheres, pratos, renda familiar, amigos, parentes, e até a moderna e bem-vinda guarda compartilhada (com partilha).

Avanços nas leis civis, bem como na postura da Igreja católica, ensaiando acolhimento desses casais e facilitando, por exemplo, a anulação de casamentos foram registrados nas últimas três décadas. Entretanto, a colocação sobre o assunto, a partir do olhar sistêmico de Bert Hellinger, necessita ser mais divulgada, pois conduz, com harmonia, os primeiros meses difíceis bem como os posteriores. Diríamos que a delicadeza, a gentileza e a gratidão podem ser exercitadas nesses episódios disruptivos, baseando-se no entendimento racional de tantas emoções.

A formação de uma família é importante, no entanto, quando sua estrutura muda, como no caso da separação, é ainda mais. O choro atrapalha enxergar a linha para dar o nó de arremate, mas este deve ser buscado.

Quando alguém deixa de amar instalam-se duas dúvidas. A outra pessoa pode continuar amando e isso deve ser respeitado? Pode-se não mais amar, mas gostar do outro, facilitando a existência de atitudes de carinho e de conciliação?

Assim podemos transformar toda a mágoa decorrente e continuar gostando do outro, conservando esse sentimento em amizade ou convivência harmoniosa. Como conseguir isso? Bert Hellinger nos ensina, após anos de observação de grupos familiares, que não existe "ex" nesse assunto: o marido, por exemplo, nunca será ex-marido, será sempre o primeiro marido, ou segundo, ou terceiro. Nesse sentido, tudo o que se vivenciou juntos, principalmente as coisas boas, estará sempre com ambos, desde que tenha sido uma aliança afetiva significativa, independentemente de terem tido filhos ou não.

Percebem que, desse modo, a perda é menor. Se o amor não prevalece, pode ficar um cuidado amoroso, em que se reconhece

PARTE II

o outro como parte de sua vida para sempre. O que, em suma, é um autocuidado.

Hierarquicamente, a primeira família tem precedência sobre a segunda, mesmo se o casamento for anulado nas leis da Igreja e do Estado. Ele completa: a segunda esposa e os filhos dessa união vão sempre dever gratidão aos primeiros, pois eles só existem porque o primeiro casamento não deu certo. Até aqui esse olhar faz brotar sentimentos positivos. O amor pelo segundo cônjuge pode ocasionalmente ser maior, mas a energia de vida da segunda união é menor que a primeira, e assim sucessivamente em uniões subsequentes[5].

Outro ponto importante a ser considerado é o que chamo de "a liberação do amor". Para explicá-lo, relatamos nossa vivência com dois netos, que têm outra avó, que reside há duas horas de viagem de onde moramos.

Aconteceu com o primeiro quando ele tinha por volta de três anos de idade. Sempre que chegava da visita a ela, notávamos que ele nos rodeava, agradava-nos muito. Percebemos que era como se ele, amando a outra avó, ficasse com culpa quando estava perto de nós. Recentemente, a avó veio passar uma semana na casa deles. No terceiro dia, o mais novo acordou falando muito na vovó Silvia. Repetia-se a mesma situação. Precisávamos liberá-lo; ir até lá para dizer que nós também amávamos a outra avó.

Imaginem um casal que se separa e disputa o amor dos filhos: esconder um sentimento positivo pode fazer tão mal quanto um negativo. É necessário ficar sempre alerta para não deixar escapar o que causa tensão e gasto de energia desnecessária.

O amor é libertador, mas, algumas vezes, temos de liberá-lo.

Para arrematar o tema, dividimos uma experiência vivida pela nossa filha caçula, a única mulher, quando, por volta de seus quinze anos, foi aprender a bordar ponto cruz. Além de toda a orientação que recebeu sobre a harmonia da escolha entre as

---

[5] Os juizados da Vara da Família no Brasil, nas grandes cidades, onde já há terapeutas sistêmicos, têm usado com sucesso o trabalho desses profissionais em processos de conciliação.

103

CASAMENTO HOJE

cores, a proporção entre os furinhos, o número de fios, a agulha e a linha a serem usadas, devia estar atenta ao sentido dos pontos e como arrematar uma cor e iniciar a outra. Além disso, havia a preocupação com a tensão do ponto: nem frouxo, nem muito apertado. Deveria também cuidar do avesso para que ele ficasse perfeito. Para que isso acontecesse, o sentido da direção do ponto e o arremate deveriam ser feitos sem nós, virando o bordado do avesso e passando a linha em alguns pontos já dados, de maneira que dificultasse o desmanchar.

Quando vemos um bordado em ponto cruz, logo viramos do avesso para ver se ele está bem-feito; isso demonstra a harmonia do trabalho e o capricho da bordadeira. Quanto mais semelhantes estiverem os lados, mais bem acabado estará o trabalho.

Finalmente, a pergunta: o que o bordado em ponto cruz tem a ver com o casamento? Para responder à pergunta, vamos então recordar os verbos usados nessa história. Receber orientação, estar atenta, harmonizar, criar proporção, arrematar, verificar tensão, reiniciar, virar o bordado, dificultar o desmanche. Percebem que cada uma dessas fases do bordado se relaciona à vivência no casamento? Portanto, quanto mais o casal compreende a necessidade de bordar e aprende como fazer o trabalho, mais belo será o resultado.

Design inteligente

Uma associação de cientistas de todo o mundo tenta desvendar a perfeição e complexidade da natureza para comprovar a existência de um Ser Superior orquestrando o universo.

Na busca de um código, esses cientistas retomaram os estudos de Leonardo Fibonacci, italiano que, na Idade Média, definiu a Espiral de Fibonacci, como passou a ser chamada: um padrão numérico e geométrico, cuja sequência numérica liga um arco ao outro, formando uma espiral.

PARTE II

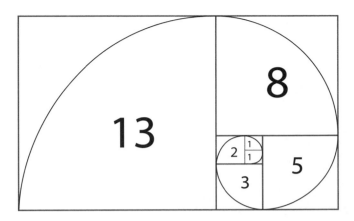

Essa espiral é encontrada em várias formas na natureza: conchas, ondas do mar, constelações estelares, forma de nossas orelhas, pétalas de rosa etc.; mas o lugar mais importante é na espiral de nosso D.N.A., na formação das células, que são unidades básicas da vida.

Como diz Marcos Eberlin, cientista brasileiro, que faz parte dessa associação: "podemos especular em cima das descobertas científicas".

Fazendo uma metáfora com as fases do relacionamento conjugal e considerando a família como a unidade básica da sociedade, encontraremos a espiral de Fibonacci com suas cinco fases iniciais em nossa vida. Assim, estaremos nos preparando para a sexta fase que, certamente, teremos na eternidade. O núcleo inicial da espiral de Fibonacci corresponde à fase terrena do relacionamento conjugal, com suas cinco fases. No início da espiral, o número "1" representa as fases do encantamento e desencantamento. O número "2" a elaboração, o número "3" a reintegração e o "5" a fase do arremate.

A espiral seria o software da sociedade. Os casais modernos estão com dificuldade de passar para a terceira fase; ficam indo e vindo da primeira para a segunda, que são as duas mágicas (encantamento e desencantamento), com parceiros sucessivos (Retrocesso?).

4
Os vinte e um
"Cs" do casamento

São muitas as atitudes positivas que atuam em um casamento. Enfocaremos aqui as atitudes que começam com a letra "C", dentre as quais a cooperação, de vital importância para o bom êxito da união.

Vamos usar aqui a seguinte ideia de cooperação: trabalhar ou atuar em conjunto com os outros, contribuir auxiliando outras pessoas.

Traçando um paralelo com um time esportivo, significa agrupar duas ou mais pessoas, com a convicção plena de que ninguém pode chegar a uma meta se a ela não chegarem todos.

No transcurso, vão aparecendo situações e emoções inesperadas: ora se é líder, ora se é liderado, dependendo da tarefa e das diferentes habilidades. O casal vai percebendo que conhecer a si mesmo e ao parceiro é importante. Situações de conflito podem surgir: divisão de tarefas desequilibradas e atuações sem planejamento. A dica é: papel definido é papel executado.

Prazeroso é também perceber que, diferentemente do jogo, não há competição, nem plateia. O casal é importante por si só, e a meta é caminhar junto por um ideal de paz, fazendo da plenitude a essência da cooperação.

CASAMENTO HOJE

Através da <u>cumplicidade</u> você cria clima de <u>companheirismo</u>, <u>cortesia</u> e <u>cordialidade</u>, o que propicia surgirem muitos momentos de <u>cooperação</u> mútua e <u>comprometimento</u>. De uma boa <u>coordenação</u> e distribuição das <u>competências</u>, <u>comportamentos</u> de <u>criatividade</u> surgirão e poderemos <u>compartilhar</u> uma <u>convivência</u> de <u>confiança</u> e <u>conquistas</u>. E, se no <u>caminho</u> algo não for muito <u>conveniente</u>, com <u>compaixão</u> e <u>calma</u>, teremos <u>compreensão</u> e ajustes de <u>conduta</u>, tão necessários no <u>cuidado</u> um com o outro.

Vinte e um é o número resultante da soma das atitudes positivas que iniciam com a letra "C". É também o número que nos insere na fase adulta, quando as potencialidades da infância e adolescência vão se transformando em ações e realizações que contribuem para tornar o mundo um lugar melhor.

Considerações finais

As viagens da vida I

A prendemos com nossas viagens, revendo fotos e rememorando fatos e passeios, um detalhe interessante: nessas horas, só ficam as boas lembranças, as paisagens lindas, a importância histórica, os amigos que encontramos e as comidas saborosas. Até o que deu errado torna-se pitoresco: o pedido do restaurante, o caminho mais longo etc. Desde que não aconteça algo constrangedor ou perigoso, as lembranças tendem a ser agradáveis. Esquecemos os dissabores do momento, como o calor ou frio, a demora para chegar a um destino, a fome, a vontade de ir ao banheiro; coisas que, na hora, parecem de muita importância.

Aliás, costumamos incentivar nossos pacientes a viajarem exatamente por isso, é um jogo de sobrevivência: Onde estamos? Para onde vamos? Qual o caminho? Como atravessamos a avenida? Essa água ou comida são saudáveis? Se ficarmos doentes, onde seremos socorridos?

Quando se vivencia por cinquenta anos um casamento comparamos, também, com uma viagem. Um ou outro acontecimento

CASAMENTO HOJE

marcante fica, mas tomamos certo distanciamento, e as lembranças dos risos, das gargalhas, dos choros diminuem de intensidade. Fica o essencial, o resultado que impulsiona a continuação do casamento.

Lembrando, novamente, o primeiro sinal de Jesus nas Bodas de Caná, salientamos o motivo da preocupação de Maria com a possível falta de vinho na cerimônia. Vinho, na medida certa, traz alegria. E a mensagem é clara: que não falte alegria na convivência matrimonial. Seria o décimo primeiro mandamento?

E é isso que esperamos esclarecer, que você leitor guarde o essencial e aquilo que realmente deve ficar de nossa existência.

> *"Diz-lhes Jesus: 'Enchei as vasilhas de água'. Eles encheram-nas até a borda. E ele diz-lhes: 'Tirai agora e levai ao mordomo'. E eles levaram. Quando o mordomo provou a água transformada em vinho e não sabia de onde era (mas sabiam-no os criados que tinham tirado a água), chama o noivo e diz-lhe: 'Todas as pessoas servem primeiro o vinho bom e, quando os convidados já estão bebidos, é que servem o pior. Porém, tu guardaste o vinho bom até agora!'"* (João 2,7-10[6]; As bodas de Caná).

As viagens da vida II

Acabamos encontrando o ensinamento necessário no livro do Êxodo da bíblia católica, referencial religioso e espiritual, sobre a maneira de explicar a importância do hoje em nossa vida e, em especial, na vivência matrimonial.

A saída para a terra prometida, quando ainda no Egito, desde os preparativos, o que levar, o que deixar, com quem ir, é o início de nosso desligamento da família de origem. A abertura e passagem do mar é o início de nossos passos.

---

[6] Bíblia, volume I: Novo Testamento: os quatro Evangelhos / tradução do grego, apresentação e notas por Frederico Lourenço. 1. ed. São Paulo. Companhia das Letras, 2017, p. 329.

CONSIDERAÇÕES FINAIS

Quanto assombro temos quando iniciamos essa jornada, e também medos e angústias quando vemos as águas emparedadas ao nosso lado, ameaçadoras. Mas tocamos em frente! Adentramos no deserto, onde vivemos por quarenta anos, muitas vezes de forma circular, pois é sabido que a distância entre o Egito e a Terra Prometida, geograficamente, não necessita de quarenta anos para ser percorrida. Serão nossas oscilações entre um Deus Único e os Bezerros de Ouro que aparecem em nossa frente, com tudo que isso possa representar e que nos faz andar em círculos.

Disse, porém, o Senhor a Moisés: "Eu lhes farei chover pão do céu. O povo sairá e recolherá diariamente a porção necessária para aquele dia. Com isso os porei à prova para ver se seguem ou não as minhas instruções (Êxodo 16,4).
Assim ordenou o Senhor: 'Cada chefe de família recolha o quanto precisar: um jarro para cada pessoa da sua tenda'. Os israelitas fizeram como lhes fora dito; alguns recolheram mais, outros menos. Quando mediram com o jarro, quem tinha recolhido muito não teve demais, e não faltou a quem tinha recolhido pouco. Cada um recolheu tanto quanto precisava. Ninguém deve guardar nada para a manhã seguinte", ordenou-lhes Moisés. Todavia, alguns deles não deram atenção a Moisés e guardaram um pouco até a manhã seguinte, mas aquilo criou bicho e começou a cheirar mal. Por isso Moisés irou-se contra eles. Cada manhã todos recolhiam o quanto precisavam, pois quando o sol esquentava, aquilo se derretia (Êxodo 16,16-21).
O povo de Israel chamou maná àquele pão. Era branco como semente de coentro e tinha gosto de bolo de mel (Êxodo 16,31).[7]

---

[7] www.bibliaonline.com.br/nvi/ex/16

CASAMENTO HOJE

O **maná** anuncia o tempo: só tenho o hoje. Se o guarda, ele apodrecerá, assim como o passado não o alimenta. Ele dá a confiança no futuro, pois virá em abundância também amanhã. E com sabor diverso; conforme você necessita será sua nutrição. Empoderar-se desse tempo nos dá a força necessária para sempre seguir em frente em cada amanhecer.

Esses quarenta anos de purificação nos indicam que temos a chance de levar à terra prometida nosso melhor: o coração puro. Deixaremos para trás nossos pecados mortais, anunciados no Monte Sinai, e nossos pecados capitais. Uma purificação que o convívio com o companheiro e a família que formamos com ele muito nos auxilia.

Os planos de amor de Deus são manifestados no hoje.

Muito além de nossas obras, por melhor que sejam, para nossa salvação, tornamo-nos nós mesmos obras de Deus.

Procurai, antes, primeiro o reino de Deus e a justiça d'Ele; e todas essas coisas vos serão dadas. Não vos preocupeis com o dia de amanhã, pois o dia de amanhã preocupar-se-á consigo mesmo. Basta ao dia [de hoje] o mal que lhe pertence"
(Mateus 6,33-34).[8]

Como ficar casado por 50 anos

São 18.250 dias e 438.000 horas de vida em comum. Vistos assim, em sua totalidade, é até assustador. São muitos "hojes".

Aqui vamos colocar dois conceitos vitais para a compreensão e a vivência. O primeiro é o da impermanência, como nos ensina Ricardo Melo, sobre o mecanismo da ação divina no universo que reduz nossas dores. O equilíbrio existe por causa daquilo que é dual, por exemplo, dia e noite, feliz e infeliz, dormir e acordar.

---

[8] Bíblia, volume I: Novo Testamento: os quatro Evangelhos / tradução do grego, apresentação e notas por Frederico Lourenço. 1. ed. São Paulo: Companhia das Letras, 2017, p. 81.

CONSIDERAÇÕES FINAIS

Lembrei-me do meu pai quando dizia: "O segredo da vida é que entre um dia e outro existe uma noite". Ilustrando a questão, citamos o conto de Nasrudin, uma História Sufi.

"Certo dia, um poderoso Rei, governante de muitos domínios, sentiu-se confuso. Então chamou seus sábios e disse: 'Embora não saiba o motivo, algo me impele a procurar alguma coisa que possa equilibrar meu estado de espírito. Algo que me faça alegre quando eu me sentir infeliz e que, ao mesmo tempo, me faça triste quando eu me sentir feliz'. Os sábios, sem entender o que significava aquele pedido, foram pedir conselho a um santo Sufi. O Sufi, depois de escutar os que os sábios lhes disseram, tirou um anel do dedo e entregou a eles. 'Deem esse anel ao Rei. Existe uma mensagem oculta sobre a pedra. Mas digam-lhe que há uma condição que deve ser cumprida. A mensagem não deve ser lida apenas por curiosidade, porque então ela perdará o significado. A mensagem está debaixo da pedra, mas é necessário um momento certo na consciência do Rei para encontrá-la. Não é uma mensagem morta que ele simplesmente vai abrir e ler', disse o Sufi. 'A condição que tem de ser preenchida é a seguinte: Quando tudo estiver perdido, quando o momento for impossível de ser tolerado, quando a confusão for total, quando a agonia for perfeita, quando ele estiver absolutamente indefeso, e quando nem ele nem a mente dele tiver nada mais para fazer, só então deverá abrir a pedra do anel. A mensagem estará ali'. Complementou o Sufi. O Rei recebeu o anel e seguiu as instruções do Sufi, transmitidas através dos sábios. O Rei tinha muitos inimigos na corte.

CASAMENTO HOJE

Certo dia, houve uma rebelião e seu castelo foi tomado por seus inimigos. Não lhes restou alternativa a não ser fugir para salvar sua vida. Seus inimigos não teriam piedade dele. Seria certamente morto, se capturado. O país estava perdido. O inimigo estava vitorioso. Apareceram muitos momentos em que ele esteve no limiar de tirar a pedra e ler a mensagem, mas achava que ainda não era o fim: 'Ainda estou vivo. Mesmo que o reino esteja perdido, posso recuperá-lo. O reino pode ser reconquistado'.

Seus inimigos o perseguiram. Ele podia ouvir o barulho dos cascos dos cavalos ao tocar nas pedras e chegavam cada vez mais perto. Ele continuou fugindo. Os amigos que seguiam com ele foram ficando pelo caminho. Seu cavalo morreu de cansaço e ele passou a correr a pé. Os pés sangravam e embora sem poder andar nenhum passo ele teve de correr sem parar. Ele tinha fome e o inimigo se aproximava cada vez mais. Ele subiu por um caminho entre as pedras e chegou a um ponto sem saída. A trilha terminou. Não havia mais estrada à frente, apenas um abismo. O inimigo estava cada vez mais perto. Não podia voltar, pois o inimigo estava lá e também não podia saltar. O abismo era grande. Ele poderia morrer na queda. Agora parecia não haver mais possibilidades, mas ele ainda esperava pela condição. Ele disse: 'Ainda estou vivo, talvez o inimigo vá em outra direção. Talvez, se pular neste abismo, eu não morra. A condição ainda não está preenchida'.

E então, subitamente, sentiu que o inimigo estava perto demais. Quando ele decidiu saltar, viu que dois leões famintos e ferozes chegaram na parte debaixo do abismo e olharam para ele. Não restava mais tempo. O inimigo estava muito perto e seus últimos momentos simplesmente haviam chegado. Rapidamente

CONSIDERAÇÕES FINAIS

ele tirou o anel, abriu-o e olhou por trás da pedra. Havia uma mensagem que dizia: 'ISSO TAMBÉM PASSARÁ'. De súbito, tudo se relaxou! 'ISSO TAMBÉM PASSARÁ'. Aconteceu naturalmente um grande silêncio. O inimigo foi para outra direção, afastando-se cada vez mais. Ele então se sentou e descansou. Depois de dormir por um longo tempo, ele acordou e começou a voltar em direção ao castelo. A medida que retornava, ele ia tomando consciência de que seus amigos tinham feito uma contrarrevolução. Seus inimigos haviam sidos derrotados. Chegando ao castelo viu que era novamente o Rei. Nos dias que se seguiram houve um grande júbilo e grandes celebrações. O povo enlouqueceu, dançou nas ruas iluminado pelas muitas luzes de várias cores dos fogos de artifício. O Rei estava se sentindo muito excitado e feliz. Seu coração batia tão rápido que ele pensava que poderia morrer de tanta felicidade. De repente, ele se lembrou do anel, abri-o e olhou. Lá estava a frase: 'ISSO TAMBÉM PASSARÀ'. E ele relaxou."

Encontramos no *Evangelho segundo Mateus* o devido apoio à ideia da impermanência na vida terrena:

"Não acumuleis para vós tesouros na terra, onde a traça e a deterioração [os] fazem desaparecer e onde os ladrões assaltam e roubam. Acumulai, antes, para vós tesouros no céu, onde nem a traça nem a deterioração [os] fazem desaparecer e onde os ladrões nem assaltam nem roubam. Lá onde está o teu tesouro, lá estará também o teu coração." (Mateus 6,19-21)[9]

---

[9] Bíblia, volume I: Novo Testamento: os quatro Evangelhos / tradução do grego, apresentação e notas por Frederico Lourenço. 1. ed. São Paulo: Companhia das Letras, 2017, p. 80.

CASAMENTO HOJE

Outro conceito é o da agenda, que consiste em fazê-lo manter-se cumprindo suas obrigações, sem postergar ou procrastinar, aconteça o que acontecer. Ela deve ser feita mensalmente, depois semanalmente e na véspera de cada dia. O fato de você registrar por escrito tudo o que vai fazer, até mesmo um telefonema importante, dá segurança e foco em suas metas. Isso vale para todos.

Quando as intempéries da vida surgirem, e isso acontece sempre, cumpra sua agenda.

Posfácio

Vó Lia – Carta de uma menina centenária

Maria Aparecida Camargo Nogueira nasce em 1919 e torna-se Pizzotti após o casamento com José, ex-aluno, oito anos mais novo. Ousada, confiante, mas sem pressa de formar o par perfeito, acompanha os planos de Deus e intui sua longevidade. Agora, pelo relógio biológico, urge multiplicar-se. Abençoada com maternidade tardia e sadia com um casal de filhos, nos dois anos seguintes, forma seu primeiro núcleo familiar; os quatro seguem juntos os próximos 60 anos. Ampliam-se com netos e cônjuges. Torna-se Vó Lia, a matriarca.

Foi mãe em idade quando as contemporâneas já eram avós, traçando, com determinação, seu caminho secular, sua história.

Gregária, hoje, auxiliada por José, comanda a mesa de refeições (lugar ideal para entremear reflexões), em que, diariamente, quase todos almoçam, em um tempo estendido, devido aos imprevistos que uma cidade grande impõe. Síndrome do Ninho Vazio passa longe. Mima cada um com o cardápio, as frutas e sobremesas. Todos os aniversários passam por ali.

Se hoje está com mobilidade e acuidade visual reduzidas, o mesmo não acontece com sua agilidade neuronal e determinação para vencer limitações. O que demonstra na leitura deste livro, com recursos modernos de ampliação de visão, nos arranjos arquitetados pelos netos e na carta que nos enviou com seus comentários.

CASAMENTO HOJE

Carta de uma centenária menina:

Cara, Silvia, como vai? Seguem algumas considerações sobre seu livro.

Pontos que achei importantes e me chamaram atenção, em especial:

– autoestima na vida e características quando não há;

– legado das gerações passadas nas várias fases da vida do casal e da família;

– árvore genealógica até a 4ª geração (casal) e sua importância na família;

– sobre a família: destaque para a convivência com os filhos e a necessidade de cada um se considerar "parte da família";

– como é comum ouvir o pai ou a mãe dizer: "quero dar a meus filhos o que não tive". Nasce aí um exagero que é prejudicial; e criam-se jovens que não lutam pelo que querem; além do perigo de se aproximarem das drogas;

– focalizando nos casais jovens: com o trabalho da mulher fora do lar (por necessidade econômica ou sua própria realização pessoal), é preciso notar que a vida familiar mudou muito. A mulher, embora trabalhando fora, não se desliga dos problemas da família, enquanto o homem se concentra em seu trabalho durante esse exercício – isso é parte da diferença entre homem e mulher. Hoje, porém, tanto o homem quanto a mulher assumem partes iguais dos afazeres familiares;

– fases do Casamento:

Achei interessante a observação que, após a fase de encantamento, aparecem os defeitos do parceiro e em geral se tenta corrigir. Deve-se, entretanto, levar em conta os próprios defeitos.

Importante não descuidar dos relacionamentos com os amigos – casais ou não – o que é verdadeira válvula de escape.

Na fase da reintegração, o trabalho de ambos atenua a sensação de ninho vazio. Essa época é rica para o casal, que se redescobre, podendo viajar sem preocupações com a família que fica. O casal passa a aceitar os defeitos de parte a parte (coisa que não conseguiam antes), o que torna o parceiro mais querido.

POSFÁCIO

Silvia, agora uma palavrinha para você: encantou-me o modo como você olha os acontecimentos da vida e deles tira lição como quem medita sobre a Bíblia...
Deus a abençoe!
Um abraço carinhoso,
Vó Lia.

"Homenagem"

Na parte do livro, quando apresentamos a terceira ordem do amor, o Equilíbrio, relatamos a vivência da nossa nora e neto e citamos a gostosura do bolo que ela fazia.

Acontece que nossa nora entrou para a família e ficou conosco 11 anos em vida. Entre a escrita e a edição do livro, ela faleceu em 100 dias, com 34 anos.

Fazemos aqui uma homenagem a ela, incluindo no livro a receita do bolo.

Bolo caseiro é predominantemente feminino, como era sua alma.

Materno, como era seu constante cuidado e carinho com os filhos.

Com aroma e sabor cativantes (chocolate e baunilha), como ela era instantaneamente quando a conheciam.

Completo, como ela era como pessoa.

Bonito com os confeitos, como ela era por dentro e por fora.

Um tributo. Uma bênção de vida.

Quando você, leitor, reproduzir esta receita será uma oração.

BOLO DA ÉLIDA
Rende 20 pedaços

1. Creme

Ingredientes:
- 1 lata de leite condensado
- 2 medidas (da lata) de leite
- 1 gema
- 2 colheres (sopa) de amido de milho
- 1 colher (café) de essência de baunilha
- 1 lata de creme de leite sem soro

CASAMENTO HOJE

Preparo:
Bata os cinco primeiros ingredientes no liquidificador ou no mix. Leve ao fogo brando, mexendo sempre, para não empelotar, até cinco minutos, após a fervura. Depois de frio, coloque o creme de leite e mexa bem ou bata no mix, para não formar película. Reserve.

2. Massa
Ingredientes:
- 4 gemas
- 4 claras mais a clara que sobrou do creme
- 100 gr de margarina (mais ou menos 4 colheres de sopa)
- 2 xícaras (chá) de açúcar refinado
- 1 xícara (chá) de leite
- 3 xícaras (chá) de farinha de trigo
- 1 xícara (chá) de achocolatado
- 1 colher (sopa) de fermento químico em pó

Preparo:
Na batedeira, bata as claras em neve e vá acrescentando os outros ingredientes devagar, sempre batendo, até o achocolatado. Desligue, coloque o fermento e misture delicadamente. Fica consistente.

Como assar: em forma grande desmontável, untada com margarina e enfarinhada, coloque metade da massa, o creme às colheradas, suavemente, e depois por cima, também às colheradas, o restante da massa, sem misturar com o recheio. Leve para assar no forno a 180° C, por mais ou menos 35 a 40 minutos.

3. Cobertura:
Ingredientes:
- 250 gr de chocolate ao leite
- 1 lata de creme de leite com soro

Preparo:
Derreta o chocolate em banho maria e, ainda quente, acrescente o creme de leite. Cubra o bolo, ainda quente, com a calda, também quente. Enfeite com granulado de chocolate, morango, cereja, confete etc.

POSFÁCIO

Uma forma poética da construção do amor

Quando meu cunhado Joracy apresentou-me a crônica de Mario Sabino[10], publicada no jornal *A Folha de São Paulo*, em 19 de setembro de 2010, eu já havia terminado o livro. Encantou-me a maneira como ele coloca a descrição dos detalhes da cena, dos sons, do vestuário e seus adereços e, por último, o mais importante, os passos do casal de dançarinos. De modo poético, ele sintetiza as fases e tudo que compõe o casamento.
Dancemos com ele. Dancemos com a vida.

O QUE FAZ DE UM TANGO UM TANGO

*O que faz de um tango um tango não são as letras
lamuriosas.
O que faz de um tango um tango não é o Gardel
morto que canta cada vez melhor.
O que faz de um tango um tango não são os passos ensaiados na tradição.
O que faz de um tango um tango não é a orquestra
com o ar cansado de quem tudo já viu.
O que faz de um tango um tango não são as pernas altas da dançarina, calçadas em meias pretas.
Não é seu cabelo preso ora com flor, ora com fita.
O que faz de um tango um tango não é o chapéu
antigo do dançarino.
Não são os seus sapatos lustrosos.
Não é o seu terno de risca de giz.
Não é o seu lenço dobrado no bolso da lapela.
O que faz de um tango um tango não é Buenos Aires.
Não é qualquer geografia.
O tango não está no mundo das latitudes, das longitudes, das cartografias, dos guias turísticos.*

---

[10] Mario Sabino – crônica "O que faz de um tango um tango", jornal A Folha de São Paulo – 19/09/2010.

CASAMENTO HOJE

O que faz de um tango um tango é a atração e a repulsa.
É a tentação e o medo.
É o afeto e a raiva.
O que faz de um tango um tango é ela seguindo
na mesma direção dele, e ele seguindo na mesma
direção dela, até que um tenta fugir e o outro tenta
impedir, numa alternância de fugas que se querem
e não se querem.
O que faz de um tango um tango é a dor de um e
de outro transformada em coreografia simétrica.
O que faz de um tango um tango é o encontro que
se desencontra e se reencontra.
O que faz de um tango um tango são os volteios do amor
dos poemas clássicos, das canções dos trovadores.
Os volteios do amor que bebe no prazer e na fúria.
Os volteios do amor que se amorna e logo torna a
incandescer.
O que faz de um tango um tango é o amor que, na
iminência de um final que se prenuncia infeliz, acha
o final feliz.
Porque nunca em um tango que é tango os dançari-
nos terminam separados, descolados, deslocados.
O que faz de um tango um tango sou eu dentro
de você na carne e você dentro de mim na alma,
depois do último acorde, depois do último aplauso,
depois da última lágrima, depois do último gozo.
O que faz de um tango um tango é a música que
se quer silêncio.
O silêncio dos amantes.

Referências bibliográficas

ALEXANDER, Jessica Joeller. *Crianças dinamarquesas*: o que as pessoas mais felizes do mundo sabem sobre criar filhos confiantes e capazes. São Paulo: Fontanar, 2017.

ATKINSON, Stuart; KOCHET, Allan citado por SOEIRO, Alfredo Correia. *Psicodrama e Psicoterapia*. São Paulo: Natura, 1976. p. 40.

BÍBLIA, VOLUME 1. Novo Testamento: os quatro Evangelhos / tradução do grego, apresentação e notas por Frederico Lourenço. 1. ed. São Paulo: Companhia das Letras, 2017.

BUSTOS, Dalmiro Manuel (e colaboradores). *O Psicodrama –* Aplicações da técnica psicodramática. São Paulo: Summus, 1982.

CARLSON, Richard; CARLSON, Kristine. *Não Faça Tempestade em Copo d'Água no Amor*. Rio de Janeiro: Rocco, 2001.

CHAPMAN, Gary. *As Cinco Linguagens do amor*. São Paulo: Mundo Cristão, 2006.

CIFUENTES, Rafael Llano. *As Crises Conjugais*. São Paulo: Quadrante, 2001.

CURY, Augusto. *As Regras de Ouro dos Casais Saudáveis*. São Paulo: Planeta, 2014.

CURY, Augusto. *Freemind*, em www.institutoaugustocury.com.br

CUSCHNIR, Luiz. *Ainda Vale a Pena*. São Paulo: Planeta, 2015.

FREUD, SIGMUND. *Edição Standard Brasileira das Obras Psicológicas Completas de Sigmund Freud*. Vol. XXIII. Rio de Janeiro: Imago, 1975.

CASAMENTO HOJE

HARLEY JR., Willard F. *Casamento à Prova de Traição*. Rio de Janeiro: Sextante, 2014.

HELLINGER, Bert. *Ordens do Amor*. São Paulo: Cultrix, 2010.

_____. *Para que o Amor dê certo*. São Paulo: Cultrix, 2010.

KEMP, Jaime. *A Arte de Permanecer Casado*. São Paulo: Voxlitteris, 2007.

LEDERER, William J.; JACKSON, Don D. M.D. *The Mirages of Marriage*. New York: W. W. Norton e Co. Inc., 1968.

LELOUP, Jean-Yves. *Uma Arte de Amar para os Nossos Tempos*. Petrópolis: Vozes, 2004.

LELOUP, Jean-Yves. *Amar... Apesar de Tudo*. Petrópolis: Vozes, 2017.

LERNER, Harriet. *As Regras do Casamento Feliz*. São Paulo: Leya, 2015.

MORENO, Jacob Levy. *Psicodrama*. São Paulo: Cultrix, 1975.

PRADO, Adélia. *Poesia Reunida*. São Paulo: Siciliano, 1991, p. 252.

ROJAS-BERMUDES, Jaime G. *Introdução ao Psicodrama*. São Paulo: Mestre Jou, 1970.

ROSS, Elisabeth Kubler. *A Roda da Vida*. Rio de Janeiro: Sextante, 1998.

SILVA, Mario Lúcio. *Alinhamento Ancestral*. Patos de Minas, 2013. (Apostila)

Este livro foi composto com as famílias tipográficas Albertus, Amaranth, Futura, Melbinac, Segoe, Times New Roman e Univers e impresso em papel Offset 63g/m² pela **Gráfica Santuário.**